PAULINE RÉAGE

Histoire d'O

édition intégrale revue par l'auteur

précédée de

Le Bonheur dans l'esclavage
par Jean Paulhan

JEAN-JACQUES PAUVERT

LE BONHEUR DANS L'ESCLAVAGE

Une révolte à la Barbade.

Une singulière révolte ensanglanta, dans le courant de l'année mil huit cent trente-huit, l'île paisible de la Barbade. Deux cents Noirs environ, tant hommes que femmes et tous récemment promus à la liberté par les Ordonnances de mars, vinrent un matin prier leur ancien maître, un certain Glenelg, de les reprendre à titre d'esclaves. Lecture fut donnée du cahier de doléances, rédigé par un pasteur anabaptiste, qu'ils portaient avec eux. Puis la discussion s'engagea. Mais

Glenelg, soit timidité, scrupules, simple crainte des lois, refusa de se laisser convaincre. Sur quoi il fut d'abord gentiment bousculé, puis massacré avec sa famille par les Noirs qui reprirent le soir même leurs cases, leurs palabres et leurs travaux et rites accoutumés. L'affaire put être assez vite étouffée par les soins du Gouverneur Mac Gregor, et la Libération suivit son cours. Quant au cahier de doléances, il n'a jamais été retrouvé.

Je songe parfois à ce cahier. Il est vraisemblable qu'il contenait, à côté de justes plaintes touchant l'organisation des maisons de travail (workhouse), *la substitution de la cellule au fouet, et l'interdiction faite aux « apprentis »* — ainsi nommait-on les nouveaux travailleurs libres — *de tomber malades, l'esquisse au moins d'une apologie de l'esclavage. La remarque, par exemple, que les seules libertés auxquelles nous soyons sensibles sont celles qui viennent jeter autrui dans une servitude équivalente. Il n'est pas un homme qui se réjouisse de respirer librement. Mais si j'obtiens, par exemple, de jouer gaiement du banjo jusqu'à deux heures du matin, mon voisin perd la* liberté de ne pas m'entendre jouer du banjo jusqu'à deux heures du matin. Si je parviens à ne rien faire, mon voisin doit travailler pour deux. Et l'on sait d'ailleurs qu'une passion inconditionnelle pour la liberté dans le monde ne manque pas d'entraîner assez vite des conflits et des guerres, non moins inconditionnelles. Ajoutez que l'esclave étant destiné, par les soins de la Dialectique, à devenir maître à son tour, l'on aurait tort sans doute de vouloir précipiter les lois de la nature. Ajoutez enfin qu'il n'est pas sans grandeur, il ne va pas non plus sans joie, de s'abandonner à la volonté d'autrui (comme il arrive aux amoureux et aux mystiques) et se voir, enfin ! débarrassé de ses plaisirs, intérêts et complexes personnels. Bref, ce petit cahier ferait aujourd'hui, mieux encore qu'il y a cent vingt ans, figure d'hérésie : de livre dangereux.

C'est d'une autre sorte de livres dangereux qu'il s'agit ici. Précisément, des érotiques.

I. Décisif comme une lettre.

D'ailleurs, pourquoi les appelle-t-on dangereux ? Voilà qui est au moins imprudent. Voilà qui semble fait, tant nous nous sentons communément de courage, pour donner envie de les lire et nous exposer au péril. Et ce n'est pas sans raison que les Sociétés de Géographie conseillent à leurs membres, dans les relations de voyages, de ne pas insister sur les dangers courus. Il ne s'agit pas de modestie, c'est pour ne tenter personne (comme on le voit encore par la facilité des guerres). Mais quels dangers ?

Il en est un du moins, que j'aperçois très bien de mon poste. C'est un danger modeste. L'Histoire d'O, de toute évidence, est l'un de ces livres qui marquent leur lecteur — qui ne le laissent pas tout à fait, ou pas du tout, tel qu'ils l'ont trouvé : curieusement mêlés à l'influence qu'ils exercent, et se transformant avec elle. Après quelques années, ce ne sont plus les mêmes livres. De sorte que les premiers critiques semblent assez vite avoir été un peu nigauds. Mais tant pis, un critique ne doit jamais hésiter à se rendre ridicule. Alors le plus simple est d'avouer

*que je ne m'y connais guère. J'avance drôle-
ment dans O, comme dans un conte de
fées — on sait que les contes de fées sont les
romans érotiques des enfants — comme
dans un de ces châteaux féeriques, qui semblent tout à fait abandonnés, pourtant les
fauteuils dans leurs housses et les poufs et
les lits à quenouilles sont très bien épous-
setés et les fouets, et les cravaches le sont
déjà ; ils le sont, si je peux dire, par nature.
Pas un soupçon de rouille aux chaînes, pas
une idée de buée aux carreaux de toutes
couleurs. S'il est un mot qui me vienne
d'abord à l'esprit quand je songe à O, c'est
le mot de décence. C'est un mot qu'il serait
trop difficile de justifier. Passons. Et ce vent
qui court sans arrêt, qui traverse toutes les
chambres. Il souffle aussi dans O on ne sait
quel esprit toujours pur et violent, sans
arrêt, sans mélange. C'est un esprit décisif,
et que rien n'embarrasse, de soupirs en
horreurs et d'extase en nausée. Et, s'il faut
l'avouer encore, mes goûts le plus souvent
vont ailleurs : j'aime les ouvrages, dont
l'auteur a hésité ; où il marque, par quelque
embarras, que son sujet l'a d'abord inti-
midé ; qu'il a douté s'il parviendrait jamais*

à s'en tirer. Mais l'Histoire d'O, d'un bout à l'autre, est plutôt conduite comme une action d'éclat. On songe à un discours, mieux qu'à une simple effusion ; à une lettre, mieux qu'à un journal intime. Mais la lettre est adressée à qui ? Mais le discours, qui veut-il convaincre ? A qui le demander ? Je ne sais même pas qui vous êtes.

Que vous soyez femme, je n'en doute guère. Ce n'est pas tant sur le détail, où vous vous plaisez, des robes de satin vert, guêpières, et jupes remontées à plusieurs tours : comme une boucle de cheveux dans un bigoudi. Mais voici : c'est qu'O, le jour où René l'abandonne à de nouveaux supplices, garde assez de présence d'esprit pour observer que les pantoufles de son amant sont râpées, il faudra en acheter d'autres. Voilà qui me semble à moi presque inimaginable. Voilà ce qu'un homme n'aurait jamais trouvé, en tout cas n'aurait pas osé dire.

Et pourtant O exprime, à sa manière, un idéal viril. Viril, ou du moins masculin. Enfin une femme qui avoue ! Qui avoue quoi ? Ce dont les femmes se sont de tout temps défendues (mais jamais plus qu'au-

X

jourd'hui). Ce que les hommes de tout temps leur reprochaient : qu'elles ne cessent pas d'obéir à leur sang ; que tout est sexe en elles, et jusqu'à l'esprit. Qu'il faudrait sans cesse les nourrir, sans cesse les laver et les farder, sans cesse les battre. Qu'elles ont simplement besoin d'un bon maître, et qui se défie de sa bonté : car elles emploient à se faire aimer par d'autres tout l'entrain, la joie, le naturel qui leur vient de notre tendresse, sitôt qu'elle est déclarée. Bref, qu'il faut prendre un fouet quand on va les voir. Il est peu d'hommes qui n'aient rêvé de posséder une Justine. Mais pas une femme, que je sache, n'avait encore rêvé d'être Justine. En tout cas, rêvé à haute voix, avec cette fierté de la plainte et des pleurs, cette violence conquérante, avec cette rapacité de la souffrance et cette volonté, tendue jusqu'à la déchirure et à l'éclatement. Femme il se peut, mais qui tient du chevalier, et du croisé. Comme si vous portiez en vous les deux natures, ou que le destinataire de la lettre vous fût à chaque instant si présent que vous empruntiez ses goûts, et sa voix. Mais quelle femme, et qui êtes-vous ?

De toute façon, l'Histoire d'O vient de loin.

J'y éprouve d'abord ce repos, et comme ces espaces qui viennent à un récit d'avoir été longtemps porté. par son auteur : de lui être familier. Qui est Pauline Réage ? Est-ce une simple rêveuse, comme il en est. (Il suffit, disent-elles, d'écouter son cœur. C'est un cœur que rien n'arrête.) Est-ce une dame d'expérience, qui a passé par là ? Qui a passé par là, et s'étonne qu'une aventure qui commençait si bien — ou du moins si gravement : dans l'ascèse et la punition — à la fin tourne mal et s'achève sur une satisfaction plutôt louche, car enfin, nous sommes d'accord, O demeure dans l'espèce de maison close, où l'amour l'a fait entrer ; elle y demeure, et ne s'y trouve pas si mal. Pourtant, à ce propos :

II. Une décence impitoyable.

Moi aussi, cette fin m'étonne. Vous ne m'ôterez pas de l'idée qu'elle n'est pas la véritable fin. Que dans la réalité (pour ainsi dire) votre héroïne obtient de Sir Stephen qu'il la fasse mourir. Il ne défera ses fers qu'une fois morte. Mais évidemment tout n'est pas dit, et cette abeille — c'est de Pauline Réage que je parle — a gardé pour elle une part de son miel. Qui sait, peut-être a-t-elle été prise, cette unique fois, d'un souci d'écrivain : raconter quelque jour la suite des aventures d'O. Puis cette fin est si évidente, que ce n'était pas la peine de l'écrire. Nous la découvrons tout seuls, sans le moindre effort. Nous la découvrons et elle nous obsède un peu. Mais vous, comment l'avez-vous inventée — et quel mot à cette aventure ? J'y reviens, tant je suis sûr qu'une fois trouvé, les poufs et les lits à quenouilles et les chaînes mêmes s'expliqueraient, laisseraient aller et venir entre elles cette grande figure obscure, ce fantôme plein d'intentions, ces souffles étrangers.

Il me faut bien penser ici à ce qu'il y a, dans le désir masculin, de précisément étranger : d'insoutenable. On voit de ces pierres, où soufflent les vents, qui bougent tout d'un coup ou bien se mettent à pousser des soupirs, à jouer comme une mandoline. Les gens viennent les voir d'assez loin. Pourtant, on voudrait d'abord se sauver, on a beau aimer la musique. Au fait, si le rôle des érotiques (des livres dangereux si vous aimez mieux) était de nous mettre au courant ? De nous rassurer là-dessus, à la façon d'un confesseur. Je sais bien qu'on s'y habitue, en général. Et les hommes non plus ne sont pas si longtemps embarrassés. Ils prennent leur parti, ils disent que c'est eux qui ont commencé. Ils mentent, et, si l'on peut dire, les faits sont là : évidents, trop évidents.

Les femmes aussi, me dira-t-on. Sans doute, mais chez elles l'événement n'est pas visible. Elles peuvent toujours dire que non. Quelle décence ! D'où vient sans doute l'opinion qu'elles sont les plus belles des deux, que la beauté est féminine. Plus belles, je n'en suis pas sûr. Mais plus discrètes en tout cas, moins apparentes, c'est une façon de beauté. Voilà deux fois que je songe à la décence, à propos d'un livre où il n'en est guère question...

Mais est-il vrai qu'il n'en soit guère question ? Je ne songe pas à la décence, un peu fade et fausse, qui se contente de dissimuler ; qui s'enfuit de devant la pierre et nie l'avoir vue bouger. Il est une autre sorte de décence, elle irréductible et prompte à châtier ; qui humilie la chair assez vivement pour la rendre à sa première intégrité et la renvoie par la force aux jours où le désir ne s'était pas déclaré encore et le rocher n'avait pas chanté. Une décence entre les mains de laquelle il est dangereux de tomber. Car il ne faut rien de moins pour la satisfaire que les mains liées derrière le dos et les genoux disjoints, les corps écartelés, et la sueur et les larmes.

J'ai l'air de dire des choses effroyables. Il se peut, mais c'est alors que l'effroi est notre pain de chaque jour — et peut-être les livres dangereux sont-ils simplement ceux qui nous rendent à notre danger naturel. Quel amoureux ne serait épouvanté s'il mesurait un instant la portée du serment qu'il fait, non pas à la légère, de s'engager pour toute la vie ? Quelle amoureuse, si elle pesait une seconde ce que veulent dire les « je n'ai pas connu l'amour avant toi... Je n'avais jamais été émue avant de te connaître » qui lui viennent aux lèvres ? Ou encore, et plus sagement — sagement ? — « Je voudrais me punir d'avoir été heureuse avant toi. » La voilà prise au mot. La voilà, si je peux dire, servie.

XV

Donc, il ne manque pas de tortures dans l'Histoire d'O. Il ne manque pas de coups de cravache ni même de marques au fer rouge, sans parler du carcan et de l'exposition en pleine terrasse. Presque autant de tortures qu'il est de prières dans la vie des ascètes du désert. Non moins soigneusement distinguées et comme numérotées — les unes des autres séparées par de petites pierres. Ce ne sont pas toujours des tortures joyeuses — je veux dire joyeusement infligées. René s'y refuse ; et Sir Stephen, s'il y consent, c'est à la manière d'un devoir. De toute évidence, ils ne s'amusent pas. Ils n'ont rien du sadique. Tout se passe enfin comme si c'était O seule, dès le début, qui exigeât d'être châtiée, forcée dans ses retraites.

Ici, quelque sot va parler de masochisme. Je le veux bien, ce n'est guère qu'ajouter au vrai mystère, un mystère faux de langage. Que veut dire masochisme ? Que la douleur est en même temps du plaisir ; et la souffrance de la joie ? Il se peut. Ce sont là de ces affirmations, dont les métaphysiciens font grand usage — ainsi disent-ils encore que toute présence est une absence ; et toute parole, un silence — et je ne nie pas du tout (bien que je ne les comprenne pas toujours) qu'elles puissent avoir leur sens, tout au moins leur utilité. Mais c'est une utilité qui ne relève pas, en tout cas, de la simple observation — qui n'est donc pas l'affaire du médecin, ni du simple psychologue, du sot à plus forte raison. — Non, me dit-on. Il s'agit bien d'une douleur, mais que le masochiste sait transformer en plaisir ; d'une souffrance d'où il dégage, par quelque chimie dont il a le secret, une pure joie.

Quelle nouvelle ! Ainsi les hommes auraient enfin trouvé ce qu'ils cherchaient si assidûment dans la médecine, dans la morale, dans les philosophies et les religions : le moyen d'éviter la douleur — ou tout au moins de la dépasser : de la comprendre (fût-ce en y voyant l'effet de notre sottise ou de nos fautes). Qui plus est, ils l'auraient trouvé de tout temps, car enfin les masochistes ne datent pas d'hier. Et je m'étonne alors qu'il ne leur ait pas été rendu de plus grands honneurs ; qu'on n'ait pas épié leur secret. Qu'on ne les ait pas réunis dans des palais, pour les mieux observer, enfermés dans des cages.

Peut-être les hommes ne se posent-ils ja-

XVII

mais de questions qu'ils ne leur aient déjà dans le secret donné réponse. Peut-être y suffirait-il de les mettre au contact les uns des autres, de les arracher à leur solitude (comme s'il n'était pas un souhait humain qui fût purement chimérique). Eh bien, voici du moins la cage, et voici cette jeune femme dans la cage. Il ne reste qu'à l'écouter.

III. Curieuse lettre d'amour.

Elle dit : « Tu as tort d'être étonné. Considère mieux ton amour. Il serait épouvanté, s'il comprenait un instant que je suis femme, et vivante. Et ce n'est pas en oubliant les sources brûlantes du sang que tu vas les tarir.

« Ta jalousie ne te trompe pas. Il est vrai que tu me rends heureuse et saine et mille fois plus vivante. Pourtant je ne peux faire que ce bonheur ne tourne aussitôt contre toi. La pierre aussi chante plus fort, quand le sang est à l'aise et le corps reposé. Garde-moi plutôt dans cette cage et nourris-moi à peine, si tu l'oses. Tout ce qui m'approche de la maladie et de la mort me rend fidèle. Et ce n'est qu'aux moments où tu me fais souffrir que je suis sans danger. Il ne fallait pas accepter de m'être un dieu, si les devoirs des dieux te font peur, et chacun sait qu'Ils ne sont pas si tendres. Tu m'as déjà vue pleurer. Il te reste à prendre goût à mes larmes. Est-ce que mon cou n'est pas charmant, quand il s'étrangle et bouge malgré moi, d'un cri que je retiens ? Il est trop vrai qu'il faut prendre un fouet quand on vient nous voir. Et même, à plus d'une, il faudrait le chat à neuf queues. »

Elle ajoute aussitôt : « Quelle sotte plaisanterie ! Mais aussi tu ne comprends rien. Et si je ne t'aimais pas d'un amour fou, crois-tu que j'oserais te parler ainsi ? et trahir mes pareilles ? »

Elle dit encore : « C'est mon imagination, ce sont mes rêves vagues qui te trahissent à chaque instant. Exténue-moi. Débarrasse-moi de ces rêves. Livre-moi. Prends les devants pour que je n'aie même pas le temps de songer que je te suis infidèle. (Et la réalité, c'est en tout cas moins préoccupant.) Mais prends soin de me marquer d'abord à ton chiffre. Si je porte la trace de ta cra-

vache ou de tes chaînes, ou ces anneaux
encore dans mes lèvres, qu'il soit évident
pour tous que je t'appartiens. Aussi longtemps qu'on me frappe, ou qu'on me viole
de ta part, je ne suis que pensée de toi, désir
de toi, obsession de toi. C'est ce que tu voulais, je pense. Quoi, je t'aime, et c'est aussi
ce que je veux.

« Si j'ai une fois pour toutes cessé d'être
moi, si ma bouche et mon ventre et mes
seins ne m'appartiennent plus, je deviens
créature d'un autre monde, où tout a changé
de sens. Un jour peut-être je ne saurai plus
rien de moi. Que me fait désormais le plaisir, que me font les caresses de tant d'hommes, tes envoyés, que je ne distingue pas
— que je ne puis te comparer ? »

C'est ainsi qu'elle parle. Moi, je l'écoute
et je vois bien qu'elle ne ment pas. Je tâche
de la suivre (c'est la prostitution qui m'a
longtemps embarrassé). Il se peut, après
tout, que la tunique ardente des mythologies
ne soit pas simple allégorie ; ni la prostitution sacrée, curiosité de l'histoire. Il se
peut que les chaînes des chansons naïves
et les « je t'aime à en mourir » ne soient
pas une simple métaphore. Ni ce que disent

les rôdeuses à leur amant de cœur : « Je t'ai dans la peau, fais de moi ce que tu voudras. » (C'est curieux que pour nous défaire d'un sentiment qui nous déroute, nous prenions le parti de le prêter aux apaches, aux prostituées.) Il se peut qu'Héloïse, quand elle écrivait à Abélard : « Je serai ta fille de joie », n'ait pas simplement voulu faire une jolie phrase. Sans doute l'Histoire d'O est-elle la plus farouche lettre d'amour qu'un homme ait jamais reçue.

Je me rappelle ce Hollandais qui doit voler sur les Océans tant qu'il n'a pas trouvé fille qui accepte de perdre la vie pour le sauver ; et le chevalier Guiguemar qui attend pour guérir de ses blessures une femme qui souffre pour lui « ce que jamais femme n'a souffert ». Certes, l'Histoire d'O est plus longue qu'un lai et bien plus détaillée qu'une simple lettre. Peut-être y fallait-il aussi revenir de plus loin. Peut-être n'a-t-il jamais été aussi difficile qu'aujourd'hui de simplement comprendre ce que disent les garçons et les petites filles de la rue — ce que disaient, je suppose, les esclaves de la Barbade. Nous vivons dans un temps où les vérités les plus simples n'ont que la ressource de nous reve-

nir nues (comme l'est O) sous un masque
de chouette.

Car on entend des gens d'allure normale,
et même sensée, volontiers parler de l'amour
comme d'un sentiment léger, et qui ne tire
pas à conséquence. On dit qu'il offre bien des
plaisirs, et que ce contact de deux épidermes
ne va pas sans charme. On ajoute que le
charme ou le plaisir donnent leur plein à
qui sait garder à l'amour sa fantaisie, son
caprice et précisément sa liberté naturelle.
Moi, je veux bien, et s'il est tellement facile
à des personnes de sexe différent (voire du
même sexe) de se donner l'un à l'autre de la
joie, grand bien leur fasse, ils auraient tort
de se gêner. Il n'y a qu'un ou deux mots là-
dedans qui m'embarrassent : le mot d'amour
et aussi le mot de liberté. Il va de soi que
c'est tout le contraire, L'amour, c'est quand
on dépend — je ne dis pas seulement dans
son plaisir, dans son existence même, et dans
ce qui vient avant l'existence : dans l'envie
même qu'on a d'exister — de cinquante choses baroques : de deux lèvres (et de la gri-
mace ou du sourire qu'elles font), d'une
épaule (de certaine façon qu'elle a de monter ou de descendre), de deux yeux (d'un

regard un peu plus humide, ou plus sec), enfin de tout un corps étranger, avec l'esprit ou l'âme qu'il porte — d'un corps qui peut à chaque instant devenir plus éblouissant que le soleil, plus glaçant qu'une plaine de neige. Ce n'est pas gai de passer par là, vous me faites rire avec vos supplices. On tremble quand ce corps se baisse pour rattacher la boucle d'un petit soulier, et il semble que chacun vous regarde trembler. Plutôt le fouet, et les anneaux dans la chair ? Quant à la liberté... N'importe quel homme, ou quelle femme, s'ils ont passé par là, auront plutôt envie de hurler là contre, de se répandre en injures et en horreurs. Non, les horreurs ne manquent pas dans l'Histoire d'O. Mais il me semble parfois que c'est, plutôt qu'une jeune femme, une idée, une mode d'idées, une opinion qui s'y voit mise au supplice.

La vérité sur la révolte.

Chose étrange, le bonheur dans l'esclavage fait de nos jours figure d'idée neuve. Il n'est guère plus de droit de vie et de mort dans

les familles, ni aux écoles de châtiments corporels et de brimades, ni dans les ménages
de correction conjugale, et l'on met à tristement pourrir dans les caves les mêmes
hommes que d'autres siècles décapitaient
fièrement en place publique. Nous n'infligeons plus de tortures qu'anonymes et imméritées. Aussi bien sont-elles mille fois plus
atroces, c'est le peuple entier d'une ville que
la guerre met à rôtir d'un seul coup. La
douceur excessive du père, de l'instituteur ou
de l'amant se paie par le tapis de bombes et
le napalm et l'explosion des atomes. Tout se
passe comme s'il existait dans le monde
certain équilibre mystérieux de la violence
dont nous avons perdu le goût et jusqu'au
sens. Et moi, je ne suis pas fâché que ce soit
une femme qui les retrouve. Je n'en suis
même pas étonné.

A dire vrai, je n'ai pas autant d'idées sur
les femmes que les hommes en ont d'ordinaire. Je suis surpris qu'il y en ait (des
femmes). Plus que surpris : vaguement émerveillé. D'où vient peut-être qu'elles me semblent merveilleuses, et je n'arrête guère de
les envier. Qu'est-ce que j'envie au juste ?

Il m'arrive de regretter mon enfance.

XXIV

Mais ce que je regrette, ce ne sont pas du tout les surprises et la révélation dont parlent les poètes. Non. Il me souvient d'une époque où je me trouvais responsable de la terre entière. Tour à tour champion de boxe ou cuisinier, orateur politique (oui), général, voleur, et même Peau-Rouge, arbre ou rocher. On va me dire qu'il s'agissait d'un jeu. Oui, bien pour vous, grandes personnes, mais pour moi non, pas du tout. C'est alors que je tenais le monde en main, avec les soucis et les dangers qui s'ensuivent : c'est alors que j'étais universel. Voici où je veux en venir.

C'est qu'aux femmes du moins il est donné de ressembler, leur vie durant, aux enfants que nous étions. Une femme s'entend très bien à mille choses qui m'échappent. En général, elle sait coudre. Elle sait faire la cuisine. Elle sait comment se dispose un appartement, et quels sont les styles qui ne jurent pas d'être ensemble (je ne dis pas qu'elle fasse tout cela à la perfection, mais je n'étais pas non plus un Peau-Rouge sans reproche). Elle sait bien davantage. Elle est à l'aise avec les chiens et les chats ; elle parle à ces demi-fous, les enfants, que nous admettons parmi nous : elle leur apprend la cosmologie et la bonne tenue, l'hygiène et les contes de fées, et cela peut aller jusqu'au piano. Bref, nous n'arrêtons pas de rêver, depuis notre enfance, d'un homme qui serait à la fois tous les hommes. Mais il semble qu'il soit donné à chaque femme d'être toutes les femmes (et tous les hommes) à la fois. Il y a plus curieux encore.

On entend dire de nos jours qu'il suffit de tout comprendre pour tout pardonner. Eh bien ! il m'a toujours semblé que pour les femmes — si universelles soient-elles — c'était tout le contraire. J'ai eu pas mal d'amis, qui me prenaient pour ce que je suis, et je les prenais à mon tour pour ce qu'ils étaient — sans le moindre désir de nous transformer l'un les autres. Même je me réjouissais — et ils se réjouissaient de leur côté — que chacun de nous fût tellement semblable à soi-même. Mais il n'est pas une femme qui ne cherche à changer l'homme qu'elle aime, et se changer du même coup. Comme si le proverbe mentait, et qu'il suffit de tout comprendre pour ne rien pardonner du tout.

Non, Pauline Réage ne se pardonne pas

XXVI

grand-chose. Et même je me demande, pour tout dire, si elle n'exagère pas un peu ; si les femmes ses pareilles lui sont bien aussi pareilles qu'elle suppose. Mais c'est ce que plus d'un homme lui accorde trop volontiers.

Faut-il regretter le cahier des esclaves de la Barbade ? Je crains, à dire vrai, que l'excellent anabaptiste qui l'a rédigé ne l'ait pétri, dans la partie apologétique, de lieux communs assez plats : par exemple, qu'il y aura toujours des esclaves (c'est en tout cas ce qu'on voit) ; que ce seront toujours les mêmes (voilà qui peut se discuter) ; qu'il faut se résigner à son état et ne pas gâcher en récriminations un temps qui pourrait être donné aux jeux, à la méditation, aux plaisirs de l'habitude. Et le reste. Mais je suppose qu'il n'a pas dit la vérité : c'est que les esclaves de Glenelg étaient amoureux de leur maître, c'est qu'ils ne pouvaient se passer de lui, ni de leur esclavage. La même vérité, après tout, d'où vient à l'Histoire d'O sa décision, son inconcevable décence et ce grand vent fanatique qui n'arrête pas de souffler.

JEAN PAULHAN.

I

LES AMANTS DE ROISSY

Son amant emmène un jour O se promener dans un quartier où ils ne vont jamais, le parc Montsouris, le parc Monceau. A l'angle du parc, au coin d'une rue où il n'y a jamais de station de taxis, après qu'ils se sont promenés dans le parc, et assis côte à côte au bord d'une pelouse, ils aperçoivent une voiture, avec un compteur, qui ressemble à un taxi. « Monte », dit-il. Elle monte. Ce n'est pas loin du soir, et c'est l'automne.

Elle est vêtue comme elle l'est toujours : des souliers avec de hauts talons, un tailleur à jupe plissée, une blouse de soie, et pas de chapeau. Mais de grands gants qui montent sur les manches de son tailleur, et elle porte dans son sac de cuir ses papiers, sa poudre et son rouge. Le taxi part doucement, sans que l'homme ait dit un mot au chauffeur. Mais il ferme, à droite et à gauche, les volets à glissière sur les vitres et à l'arrière ; elle a retiré ses gants, pensant qu'il veut l'embrasser, ou qu'elle le caresse. Mais il dit : « Tu es embarrassée, donne ton sac. » Elle le donne, il le pose hors de portée d'elle, et ajoute : « Tu es aussi trop habillée. Défais tes jarretelles, roule tes bas au-dessus de tes genoux : voici des jarretières. » Elle a un peu de peine, le taxi roule plus vite, et elle a peur que le chauffeur ne se retourne. Enfin, les bas sont roulés, et elle est gênée de sentir ses jambes nues et libres sous la soie de sa combinaison. Aussi, les jarretelles défaites glissent. « Défais ta ceinture, dit-il, et ôte ton slip. » Cela, c'est facile, il suffit de passer les mains derrière les reins et de se soulever un peu. Il lui prend des mains la ceinture et le slip, ouvre le sac et les y enferme, puis dit : « Il ne faut pas t'asseoir sur ta combinaison et ta jupe, il faut les relever et t'asseoir directement sur la banquette. » La banquette est en moleskine, glissante et froide, c'est saisissant de la sentir coller aux cuisses. Puis il lui dit : « Remets tes gants maintenant. » Le taxi roule toujours, et elle n'ose pas demander pourquoi René ne bouge pas, et ne dit plus rien, ni quelle signification cela peut avoir pour lui, qu'elle soit immobile et muette, si dénudée et si offerte, si bien gantée, dans une voiture noire qui va elle ne sait pas où. Il ne lui a rien ordonné, ni défendu, mais elle n'ose ni croiser les jambes ni serrer les genoux. Elle a ses deux mains gantées appuyées de chaque côté d'elle, sur la banquette.

« Voilà », dit-il tout à coup. Voilà : le taxi s'arrête dans une belle avenue, sous un arbre — ce sont des platanes — devant une sorte de petit hôtel qu'on devine entre cour et jardin, comme les petits hôtels du faubourg Saint-Germain. Les réverbères sont un peu loin, il fait sombre encore dans la voiture, et dehors, il pleut. « Ne bouge pas, dit René. Ne bouge pas du tout. » Il allonge la main vers le col de sa blouse, défait le nœud, puis les boutons. Elle penche un peu le buste, et croit qu'il veut lui caresser les seins. Non. Il tâtonne seulement pour saisir et trancher avec un petit canif les bretelles du soutien-gorge, qu'il enlève. Elle a maintenant, sous la blouse qu'il a refermée, les seins libres et nus comme elle a nus et libres les reins et le ventre, de la taille aux genoux.

« Ecoute, dit-il. Maintenant, tu es prête. Je te laisse. Tu vas descendre et sonner à la porte. Tu suivras qui t'ouvrira, tu feras ce qu'on t'ordonnera. Si tu n'entrais pas tout de suite, on viendrait te chercher, si tu n'obéissais pas tout de suite, on te ferait obéir. Ton sac ? Non, tu n'as plus besoin de ton sac. Tu es seulement la fille que je fournis. Si, si, je serais là. Va. »

Une autre version du même début était plus brutale et plus simple : la jeune femme pareillement vêtue était emmenée en voiture par son amant, et un ami inconnu. L'inconnu était au volant, l'amant assis à côté de la jeune femme, et c'était l'ami, l'inconnu, qui parlait pour expliquer à la

jeune femme que son amant était chargé de
la préparer, qu'il allait lui lier les mains
dans le dos, par-dessus ses gants, lui défaire
et lui rouler ses bas, lui enlever sa ceinture,
son slip et son soutien-gorge, et lui bander
les yeux. Qu'ensuite elle serait remise au
château, où on l'instruirait à mesure de ce
qu'elle aurait à faire. En effet, une fois ainsi
dévêtue et liée, au bout d'une demi-heure
de route, on l'aidait à sortir de voiture, on
lui faisait monter quelques marches, puis
franchir une ou deux portes toujours à
l'aveugle, elle se retrouvait seule, son bandeau enlevé, debout dans une pièce noire
où on la laissait une demi-heure, ou une
heure, ou deux, je ne sais pas, mais c'était
un siècle. Puis, quand enfin la porte s'ouvrait, et que s'allumait la lumière, on voyait
qu'elle avait attendu dans une pièce très
banale et confortable et pourtant singulière :
avec un épais tapis par terre, mais sans un
meuble, tout entourée de placards. Deux
femmes avaient ouvert la porte, deux femmes
jeunes et jolies, vêtues comme de jolies ser-
vantes du dix-huitième siècle : avec de longues jupes légères et bouffantes qui
cachaient les pieds, des corselets serrés qui

faisaient jaillir la poitrine et étaient lacés ou agrafés par-devant, et des dentelles autour de la gorge, et des manches à demi longues. Les yeux et la bouche fardés. Elles avaient un collier serré autour du cou, des bracelets serrés autour des poignets.

Alors je sais qu'elles ont défait les mains d'O qui étaient toujours liées derrière le dos, et lui ont dit qu'il fallait qu'elle se déshabillât, et qu'on allait la baigner, et la farder. On l'a donc mise nue, et on a rangé ses vêtements dans un des placards. On ne l'a pas laissée se baigner seule, et on l'a coiffée, comme chez le coiffeur, en la faisant asseoir dans un de ces grands fauteuils qui basculent quand on vous lave la tête, et que l'on redresse pour vous mettre le séchoir, après la mise en plis. Cela dure toujours au moins une heure. Cela a duré plus d'une heure en effet, mais elle était assise sur ce fauteuil, nue, et on lui défendait de croiser les genoux ou de les rapprocher l'un de l'autre. Et comme il y avait en face d'elle une grande glace, du haut en bas de la paroi, que n'interrompait aucune tablette, elle se voyait, ainsi ouverte, chaque fois que son regard rencontrait la glace.

Quand elle a été prête, et fardée, les paupières légèrement ombrées, la bouche très rouge, la pointe et l'aréole des seins rosies, le bord des lèvres du ventre rougi, du parfum longuement passé sur la fourrure des aisselles et du pubis, dans le sillon entre les cuisses, dans le sillon sous les seins, et au creux des paumes, on l'a fait entrer dans une pièce où un miroir à trois faces et un quatrième miroir au mur permettaient de se bien voir. On lui a dit de s'asseoir sur le pouf au milieu des miroirs, et d'attendre. Le pouf était couvert de fourrure noire, qui la piquait un peu, et le tapis était noir, les murs rouges. Elle avait des mules rouges aux pieds. Sur une des parois du petit boudoir, il y avait une grande fenêtre qui donnait sur un beau parc sombre. Il avait cessé de pleuvoir, les arbres bougeaient sous le vent, la lune courait haut entre les nuages. Je ne sais pas combien de temps elle est restée dans le boudoir rouge, ni si elle y était vraiment seule comme elle croyait l'être, ou si quelqu'un la regardait par une ouverture camouflée dans un mur. Mais ce que je sais, c'est que, lorsque les deux femmes sont revenues, l'une portait un centimètre de couturière, l'autre une corbeille. Un homme les accompagnait, vêtu d'une longue robe violette à manches étroites aux poignets et larges aux emmanchures, et qui s'ouvrait à partir de la taille quand il marchait. On voyait qu'il portait, sous sa robe, des espèces de chausses collantes qui recouvraient les jambes et les cuisses, mais laissaient libre le sexe. Ce fut le sexe qu'O vit d'abord, à son premier pas, puis le fouet de lanières de cuir passé à la ceinture, puis que l'homme était masqué par une cagoule noire, où un réseau de tulle noir dissimulait même les yeux — et enfin, qu'il avait des gants noirs aussi, et de fin chevreau. Il lui dit de ne pas bouger, en la tutoyant, et aux femmes de se dépêcher. Celle qui avait le centimètre prit alors la mesure du cou d'O et de ses poignets. C'étaient des mesures tout à fait courantes, quoique petites. Il fut facile de trouver dans le panier que tenait l'autre femme le collier et les bracelets qui correspondaient. Voici comment ils étaient faits : en plusieurs épaisseurs de cuir (chaque épaisseur assez mince, au total pas plus d'un doigt), fermées par un système à déclic, qui fonctionnait automatiquement comme un cadenas quand on le fermait et ne pouvait s'ouvrir qu'avec une petite clef. Dans la partie exactement opposée à la fermeture, dans le milieu des épaisseurs de cuir, et n'ayant presque pas de jeu, il y avait un anneau de métal, qui donnait une prise sur le bracelet, si on voulait le fixer, car il était trop serré au bras et le collier trop serré au cou, bien qu'il y eût assez de jeu pour ne pas du tout blesser, pour qu'on y pût glisser le moindre lien. On fixa donc ce collier et ces bracelets à son cou et à ses poignets, puis l'homme lui dit de se lever. Il s'assit à sa place sur le pouf de fourrure, et la fit approcher contre ses genoux, lui passa sa main gantée entre les cuisses et sur les seins et lui expliqua qu'elle serait présentée le soir même, après le dîner qu'elle prendrait seule. Elle le prit seule en effet, toujours nue, dans une sorte de petite cabine où une main invisible lui tendait les plats par un guichet. Enfin, le dîner fini, les deux femmes revinrent la chercher. Dans le boudoir, elles fixèrent ensemble, derrière son dos, les deux anneaux de ses bracelets, lui mirent sur les épaules, attachée à son collier, une longue cape rouge qui la couvrait tout entière, mais s'ouvrait quand elle marchait puisqu'elle ne pouvait la retenir, ayant les mains attachées derrière le dos. Une femme avançait devant elle et ouvrait les portes, l'autre la suivait et les refermait. Elles traversèrent un vestibule, deux salons, et pénétrèrent dans la bibliothèque, où quatre hommes prenaient le café. Ils portaient les mêmes grandes robes que le premier, mais aucun masque. Cependant, O n'eut pas le temps de voir leurs visages et de reconnaître si son amant était parmi eux (il y était), car l'un des quatre tourna vers elle une lampe-phare qui l'aveugla. Tout le monde resta immobile, les deux femmes de chaque côté d'elle, et les hommes en face qui la regardaient. Puis le phare s'éteignit ; les femmes partirent. Mais on avait remis à O un bandeau sur les yeux. Alors on la fit avancer, trébuchant un peu, et elle se sentit debout devant le grand feu, auprès duquel les quatre hommes étaient assis : elle sentait la chaleur, et entendait crépiter doucement les bûches dans le silence. Elle faisait face au feu. Deux mains soulevèrent sa cape, deux autres descendaient le long de ses reins après avoir vérifié l'attache des bracelets : elles n'étaient pas gantées, et l'une la pénétra de deux parts à la fois, si brusquement qu'elle cria. Quelqu'un rit. Quelqu'un d'autre dit : « Retournez-la, qu'on voie les seins et le ventre. » On la fit tourner, et la chaleur du feu était contre ses reins. Une main lui prit un sein, une bouche saisit la pointe de l'autre. Mais, soudain elle perdit l'équilibre et bascula à la renverse, soutenue dans quels bras ? pendant qu'on lui ouvrait les jambes et qu'on lui écartait doucement les lèvres ; des cheveux effleurèrent l'intérieur de ses cuisses. Elle entendit qu'on disait qu'il fallait la mettre à genoux. Ce qu'on fit. Elle était très mal à genoux, d'autant plus qu'on lui défendait de les rapprocher, et que ses mains liées au dos la faisaient pencher en avant. On lui permit alors de fléchir un peu en arrière, à demi assise sur les talons comme font les religieuses. « Vous ne l'avez jamais attachée ? — Non, jamais. — Ni fouettée ? — Jamais non plus, mais justement... » C'était son amant qui répondait. « Justement, dit l'autre voix. Si vous l'attachez quelquefois, si vous la fouettez un peu, et qu'elle y prenne plaisir, non. Ce qu'il faut, c'est dépasser le moment où elle prendra plaisir, pour obtenir les larmes. » On fit alors lever O et on allait la détacher, sans doute pour la lier à quelque poteau ou quelque mur, quand quelqu'un protesta qu'il la voulait prendre d'abord, et tout de suite — si bien qu'on la fit remettre à genoux, mais cette fois le buste reposant sur un pouf, toujours les mains au dos, et les reins plus haut que le torse, et l'un des hommes, la maintenant des deux mains aux hanches, s'enfonça dans son ventre. Il céda la place à un second. Le troisième voulut se frayer un chemin au plus étroit, et forçant brusquement, la fit hurler. Quand il la lâcha, gémissante et salie de larmes sous son bandeau, elle glissa à terre : ce fut pour sentir des genoux contre son visage, et que sa bouche ne serait pas épargnée. On la laissa enfin, captive à la renverse dans ses oripeaux rouges devant le feu. Elle entendit qu'on remplissait des verres, et qu'on buvait, et qu'on bougeait des sièges. On remettait du bois au feu. Soudain on lui enleva son bandeau. La grande pièce avec des livres sur les murs était faiblement éclairée par une lampe sur une console, et par la clarté du feu, qui se ranimait. Deux des hommes étaient debout et fumaient. Un autre était assis, une cravache sur les genoux, et celui qui était penché sur elle et lui caressait le sein était son amant. Mais tous quatre l'avaient prise, et elle ne l'avait pas distingué des autres.

On lui expliqua qu'il en serait toujours ainsi, tant qu'elle serait dans ce château, qu'elle verrait les visages de ceux qui la violeraient ou la tourmenteraient, mais jamais la nuit, et qu'elle ne saurait jamais quels étaient les responsables du pire. Que lorsqu'on la fouetterait, ce serait pareil, sauf qu'on voulait qu'elle se voie fouettée, qu'une première fois elle n'aurait donc pas de bandeau, mais qu'eux mettraient leurs masques, et qu'elle ne les distinguerait plus. Son amant l'avait relevée, et fait asseoir dans sa cape rouge sur le bras d'un fauteuil contre l'angle de la cheminée, pour qu'elle écoutât ce qu'on avait à lui dire et qu'elle regardât ce qu'on voulait lui montrer. Elle avait toujours les mains au dos. On lui montra la cravache, qui était noire, longue et fine, de fin bambou gainé de cuir, comme on en voit dans les vitrines des grands selliers ; le fouet de cuir que le premier des hommes

qu'elle ait vu avait à la ceinture était long,
fait de six lanières terminées par un nœud ;
il y avait un troisième fouet de cordes assez
fines, qui se terminaient · par plusieurs
nœuds, et qui étaient toutes raides, comme
si on les avait trempées dans l'eau, ce
qu'on avait fait, comme elle put le constater,
car on lui en caressa le ventre et on lui
écarta les cuisses pour qu'elle pût mieux
sentir combien les cordes étaient humides et
froides sur la peau tendre de l'intérieur.
Restaient sur la console des clefs et des
chaînettes d'acier. Le long d'une des parois
de la bibliothèque courait à mi-hauteur
une galerie, qui était soutenue par deux
piliers. Un crochet était planté dans l'un
d'eux, à une hauteur qu'un homme pouvait
atteindre sur la pointe des pieds et à bras
tendu. On dit à O, que son amant avait
prise dans ses bras, une main sous ses
épaules et l'autre au creux de son ventre, et
qui la brûlait, pour l'obliger à défaillir, on
lui dit qu'on ne lui déferait ses mains liées
que pour l'attacher tout à l'heure, par ces
mêmes bracelets, et une des chaînettes
d'acier, à ce poteau. Que sauf les mains
qu'elle aurait tenues un peu au-dessus de la

tête, elle pourrait donc bouger, et voir venir les coups. Qu'on ne lui fouetterait en principe que les reins et les cuisses, bref, de la taille aux genoux, comme on l'y avait préparée dans la voiture qui l'avait amenée, quand on l'avait fait asseoir nue sur la banquette. Mais que l'un des quatre hommes présents voudrait probablement lui marquer les cuisses à la cravache, qui fait de belles zébrures longues et profondes, qui durent longtemps. Tout ne lui serait pas infligé à la fois, elle aurait le loisir de crier, de se débattre et de pleurer. On la laisserait respirer, mais quand elle aurait repris haleine, on recommencerait, jugeant du résultat non par ses cris ou ses larmes, mais par les traces plus ou moins vives ou durables, que les fouets laisseraient sur sa peau. On lui fit observer que cette manière de juger de l'efficacité du fouet, outre qu'elle était juste, et qu'elle rendait inutiles les tentatives que faisaient les victimes, en exagérant leurs gémissements, pour éveiller la pitié, permettait en outre de l'appliquer en dehors des murs du château, en plein air dans le parc, comme il arrivait souvent, ou dans n'importe quel appartement ordinaire ou n'importe

quelle chambre d'hôtel, à condition d'utiliser un bâillon bien compris (comme on lui
en montra un aussitôt) qui ne laisse de
liberté qu'aux larmes, étouffe tous les cris,
et permet à peine quelques gémissements.

Il n'était pas question de l'utiliser ce
soir-là, au contraire. Ils voulaient entendre
hurler O et au plus vite. L'orgueil qu'elle mit
à résister et à se taire ne dura pas longtemps : ils l'entendirent même supplier
qu'on la détachât, qu'on arrêtât un instant,
un seul. Elle se tordait avec une telle frénésie pour échapper aux morsures des
lanières qu'elle tournoyait presque sur elle-
même, devant le poteau, car la chaînette qui
la retenait était longue et donc un peu lâche,
bien que solide. Si bien que le ventre et le
devant des cuisses, et le côté, avaient leur
part presque autant que les reins. On prit
le parti, après avoir en effet arrêté un instant, de ne recommencer qu'une fois une
corde passée autour de la taille, et en même
temps autour du poteau. Comme on la serra
beaucoup, pour bien fixer le corps par son
milieu contre le poteau, le torse pencha
nécessairement un peu sur un côté, ce qui
faisait saillir la croupe de l'autre. De cet

instant les coups ne s'égarèrent plus, sinon délibérément. Etant donné la manière dont son amant l'avait livrée, O aurait pu songer que faire appel à sa pitié était le meilleur moyen pour qu'il redoublât de cruauté tant il prenait plaisir à lui arracher ou à lui faire arracher ces indubitables témoignages de son pouvoir. Et en effet, ce fut lui qui remarqua le premier que le fouet de cuir, sous lequel elle avait d'abord gémi, la marquait beaucoup moins (ce qu'on obtenait presque avec la corde mouillée de la garcette, et au premier coup avec la cravache) et donc permettait de faire durer la peine et de recommencer parfois presque aussitôt qu'on en avait fantaisie. Il demanda que l'on n'employât plus que celui-là. Entre-temps, celui des quatre qui n'aimait les femmes que dans ce qu'elles ont de commun avec les hommes, séduit par cette croupe offerte qui se tendait sous la corde au-dessous de la taille et ne s'offrait que davantage en voulant se dérober, demanda un répit pour en profiter, en écarta les deux parts qui brûlaient sous ses mains et la pénétra non sans mal, tout en faisant la réflexion qu'il faudrait rendre ce passage plus commode. On convint que c'était faisable, et qu'on en prendrait les moyens.

Quand on détacha la jeune femme, chancelante et presque évanouie sous son manteau rouge, pour lui donner, avant de la faire conduire dans la cellule qu'elle devait occuper, le détail des règles qu'elle aurait à observer dans le château pendant qu'elle y serait, et dans la vie ordinaire après qu'elle l'aurait quitté (sans regagner sa liberté pour autant), on la fit asseoir dans un grand fauteuil près du feu, et on sonna. Les deux jeunes femmes qui l'avaient accueillie apportaient de quoi l'habiller pendant son séjour, et de quoi la faire reconnaître auprès de ceux qui avaient été les hôtes du château avant qu'elle ne vînt ou qui le seraient quand elle en serait partie. Le costume était semblable au leur : sur un corset très baleiné, et rigoureusement serré à la taille, et sur un jupon de linon empesé, une longue robe à large jupe dont le corsage laissait les seins, remontés par le corset, à peu près à découvert, à peine voilés de dentelle. Le jupon était blanc, le corset et la robe de satin vert d'eau, la dentelle blanche. Quand O fut habillée, et eut regagné son fauteuil au coin du feu, encore pâlie par sa robe pâle, les deux jeunes femmes, qui n'avaient pas dit un mot, s'en allèrent. Un des quatre hommes saisit l'une d'elles au passage, fit signe à l'autre d'attendre, et ramenant vers O celle qu'il avait arrêtée, la fit retourner, la prenant à la taille d'une main et relevant ses jupes de l'autre, pour montrer à O, dit-il, pourquoi ce costume, et comme il était bien compris, ajoutant qu'on pouvait faire tenir avec une simple ceinture cette jupe relevée autant qu'on voudrait, ce qui laissait la disposition pratique de ce qu'on découvrait ainsi. D'ailleurs, on faisait souvent circuler dans le château ou dans le parc les femmes troussées de cette manière, ou par-devant, également jusqu'à la taille. On fit montrer à O par la jeune femme comment elle devait faire tenir sa jupe : remontée à plusieurs tours (comme une boucle de cheveux roulés dans un bigoudi), dans une ceinture serrée, juste au milieu devant, pour laisser libre le ventre, ou juste au milieu du dos pour libérer les reins. Dans l'un et l'autre cas, le jupon et la jupe retombaient en gros plis diagonaux mêlés en cascade. Comme O, la jeune femme avait sur le travers des reins de fraîches marques de cravache. Elle s'en alla.

Voici le discours que l'on tint ensuite à O. « Vous êtes ici au service de vos maîtres. Le jour durant, vous ferez telle corvée qu'on vous confiera pour la tenue de la maison, comme de balayer, ou de ranger les livres ou de disposer les fleurs, ou de servir à table. Il n'y en a pas de plus dures. Mais vous abandonnerez toujours au premier mot de qui vous l'enjoindra, ou au premier signe, ce que vous faites, pour votre seul véritable service, qui est de vous prêter. Vos mains ne sont pas à vous, ni vos seins, ni tout particulièrement aucun des orifices de votre corps, que nous pouvons fouiller et dans lesquels nous pouvons nous enfoncer à notre gré. Par manière de signe, pour qu'il vous soit constamment présent à l'esprit, ou aussi présent que possible, que vous avez perdu le droit de vous dérober, devant nous vous ne fermerez jamais tout à fait les lèvres, ni ne croiserez les jambes, ni ne serrerez les genoux (comme vous avez vu qu'on a interdit de faire aussitôt votre arrivée), ce qui marquera à vos yeux et aux nôtres que votre bouche, votre ventre, et vos reins nous sont ouverts. Devant nous, vous ne toucherez jamais à vos seins : ils sont exhaussés par le corset pour nous appartenir. Le jour durant, vous serez donc habillée, vous relèverez votre jupe si on vous en donne l'ordre, et vous utilisera qui voudra, à visage découvert — et comme il voudra — à la réserve toutefois du fouet. Le fouet ne vous sera appliqué qu'entre le coucher et le lever du soleil. Mais outre celui qui vous sera donné par qui le désirera, vous serez punie du fouet le soir pour manquement à la règle dans la journée : c'est-à-dire pour avoir manqué de complaisance, ou levé les yeux sur celui qui vous parle ou vous prend : vous ne devez jamais regarder un de nous au visage. Dans le costume que nous portons à la nuit, et que j'ai devant vous, si notre sexe est à découvert, ce n'est pas pour la commodité, qui irait aussi bien autrement, c'est pour l'insolence, pour que vos yeux s'y fixent, et ne se fixent pas ailleurs, pour que vous appreniez que c'est là votre maître, à quoi vos lèvres sont avant tout destinées. Dans la journée, où nous sommes vêtus comme partout, et où vous l'êtes comme vous voilà, vous observerez la même consigne, et vous aurez seulement la peine, si l'on vous en requiert, d'ouvrir vos vêtements, que vous refermerez vous-même quand nous en aurons fini de vous. En outre, à la nuit, vous n'aurez que vos lèvres pour nous honorer, et l'écartement de vos cuisses, car vous aurez les mains liées au dos, et serez nue comme on vous a amenée tout à l'heure ; on ne vous bandera les yeux que pour vous maltraiter, et maintenant que vous avez vu comment on vous fouette, pour vous fouetter. A ce propos, s'il convient que vous vous accoutumiez à recevoir le fouet, comme tant que vous serez ici vous le recevrez chaque jour, ce n'est pas tant pour notre plaisir que pour votre instruction. Cela est tellement vrai que les nuits où personne n'aura envie de vous, vous attendrez que le valet chargé de cette besogne vienne dans la solitude de votre cellule vous appliquer ce que vous devrez recevoir et que nous n'aurons pas le goût de vous donner. Il s'agit en effet, par ce moyen, comme par celui de la chaîne qui, fixée à l'anneau de votre collier, vous maintiendra plus ou moins étroitement à votre lit plusieurs heures par jour, beaucoup moins de vous faire éprouver une douleur, crier ou répandre des larmes, que de vous faire sentir, par le moyen de cette douleur, que vous êtes contrainte, et de vous enseigner que vous êtes entièrement vouée à quelque chose qui est en dehors de vous. Quand vous sortirez d'ici, vous porterez un anneau de fer à l'annulaire, qui vous fera reconnaître : vous aurez appris à ce moment-là à obéir à ceux qui porteront ce même signe — eux sauront à le voir que vous êtes constamment nue sous votre jupe, si correct et banal que soit votre vêtement, et que c'est pour eux. Ceux qui vous trouveraient indocile vous ramèneront ici. On va vous conduire dans votre cellule. »

Pendant qu'on parlait à O, les deux femmes qui étaient venues l'habiller s'étaient tenues debout de part et d'autre du poteau où on l'avait fouettée, mais sans le toucher, comme s'il les eût effrayées, ou qu'on le leur eût interdit (et c'était le plus vraisemblable) ; lorsque l'homme eut fini, elles s'avancèrent vers O, qui comprit qu'elle devait se lever pour les suivre. Elle se leva donc, prenant à brassée ses jupes pour ne pas trébucher, car elle n'avait pas l'habitude des

robes longues, et ne se sentait pas d'aplomb
sur les mules à semelles surélevées et très
hauts talons qu'une bande de satin épais,
du même vert que sa robe, empêchait seule
d'échapper au pied. En se baissant, elle
tourna la tête. Les femmes attendaient, les
hommes ne la regardaient plus. Son amant,
assis par terre, adossé au pouf contre lequel
on l'avait renversée au début de la soirée,
les genoux relevés et les coudes sur les
genoux, jouait avec le fouet de cuir. Au premier pas qu'elle fit pour atteindre les
femmes, sa jupe le frôla. Il leva la tête et
lui sourit, l'appelant de son nom, se mit à
son tour debout. Il lui caressa doucement
les cheveux, lui lissa les sourcils du bout du
doigt, lui baisa doucement les lèvres. Tout
haut, il lui dit qu'il l'aimait. O, tremblante,
s'aperçut avec terreur qu'elle lui répondait
« je t'aime » et que c'était vrai. Il la prit
contre lui, lui dit « mon chéri, mon cœur
chéri », lui embrassa le cou et le coin de la
joue ; elle avait laissé sa tête aller sur
l'épaule que recouvrait la robe violette. Tout
bas cette fois il lui répéta qu'il l'aimait et
tout bas encore dit : « Tu vas te mettre à
genoux, me caresser et m'embrasser » et la

repoussa, en faisant signe aux femmes de s'écarter, pour s'accoter contre la console. Il était grand, mais la console n'était pas très haute, et ses longues jambes, gainées du même violet que sa robe, pliaient. La robe ouverte se tendait par-dessous comme une draperie, et l'entablement de la console soulevait un peu le sexe lourd, et la toison claire qui le couronnait. Les trois hommes se rapprochèrent. O se mit à genoux sur le tapis, sa robe verte en corolle autour d'elle. Son corset la serrait, ses seins, dont on voyait la pointe, étaient à la hauteur des genoux de son amant. « Un peu plus de lumière », dit un des hommes. Lorsqu'on eut prit le temps de diriger le rayon de la lampe de façon que la clarté tombât d'aplomb sur son sexe et sur le visage de sa maîtresse, qui en était tout près, et sur ses mains qui le caressaient par-dessous, René ordonna soudain : « Répète : je vous aime. » O répéta « je vous aime », avec un tel délice que ses lèvres osaient à peine effleurer la pointe du sexe, que protégeait encore sa gaine de douce chair. Les trois hommes, qui fumaient, commentaient ses gestes, le mouvement de sa bouche refermée et resserrée sur le sexe qu'elle avait saisi, et le long duquel elle montait et descendait, son visage défait qui s'inondait de larmes chaque fois que le membre gonflé la frappait jusqu'au fond de la gorge, repoussant la langue et lui arrachant une nausée. C'est la bouche à demi bâillonnée déjà par la chair durcie qui l'emplissait qu'elle murmura encore « je vous aime ». Les deux femmes s'étaient mises l'une à droite, l'autre à gauche de René, qui s'appuyait de chaque bras sur leurs épaules. O entendait les commentaires des témoins, mais guettait à travers leurs paroles les gémissements de son amant, attentive à le caresser, avec un respect infini et la lenteur qu'elle savait lui plaire. O sentait que sa bouche était belle, puisque son amant daignait s'y enfoncer, puisqu'il daignait en donner les caresses en spectacle, puisqu'il daignait enfin s'y répandre. Elle le reçut comme on reçoit un dieu, l'entendit crier, entendit rire les autres, et quand elle l'eut reçu s'écroula, le visage contre le sol. Les deux femmes la relevèrent, et cette fois on l'emmena.

Les mules claquaient sur les carrelages rouges des couloirs, où des portes se succédaient, discrètes et propres, avec des serrures minuscules, comme les portes des chambres dans les grands hôtels. O n'osait demander si chacune de ces chambres était habitée, et par qui, quand une de ses compagnes, dont elle n'avait pas encore entendu la voix, lui dit : « Vous êtes dans l'aile rouge, et votre valet s'appelle Pierre. — Quel valet ? dit O saisie par la douceur de la voix, et comment vous appelez-vous ? — Je m'appelle Andrée. — Et moi Jeanne », dit la seconde. La première reprit : « C'est le valet qui a les clefs, qui vous attachera et vous détachera, vous fouettera quand vous serez punie et quand on n'aura pas de temps pour vous. — J'ai été dans l'aile rouge l'année dernière, dit Jeanne, Pierre y était déjà. Il venait souvent la nuit ; les valets ont les clefs et dans les chambres qui font partie de leur section, ils ont le droit de se servir de nous. »

O allait demander comment était ce Pierre. Elle n'en eut pas le temps. Au détour du couloir, on la fit s'arrêter devant une porte que rien ne distinguait des autres :

sur une banquette entre cette porte et la porte suivante elle aperçut une sorte de paysan rougeaud, trapu, la tête presque rasée, avec de petits yeux noirs enfoncés et des bourrelets de chair à la nuque. Il était vêtu comme un valet d'opérette : une chemise à jabot de dentelle sortait de son gilet noir que recouvrait un spencer rouge. Il avait des culottes noires, des bas blancs et des escarpins vernis. Lui aussi portait à la ceinture un fouet à lanière de cuir. Ses mains étaient couvertes de poils roux. Il sortit un passe de sa poche de gilet, ouvrit la porte et fit entrer les trois femmes, disant : « Je referme, vous sonnerez quand vous aurez fini. »

La cellule était toute petite, et comportait en réalité deux pièces. La porte qui donnait sur le couloir refermée, on se trouvait dans une antichambre, qui ouvrait sur la cellule proprement dite ; sur la même paroi ouvrait, de la chambre, une autre porte, sur une salle de bains. En face des portes il y avait la fenêtre. Sur la paroi de gauche, entre les portes et la fenêtre, s'appuyait le chevet d'un grand lit carré, très bas et couvert de fourrures. Il n'y avait pas d'autres meubles, il n'y avait aucune glace. Les murs étaient

rouge vif, le tapis noir. Andrée fit remarquer à O que le lit était moins un lit qu'une
plate-forme matelassée, recouverte d'une
étoffe noire à très longs poils qui imitait la
fourrure. L'oreiller, plat et dur comme le
matelas, était en même tissu, la couverture
à double face aussi. Le seul objet qui fût
au mur, à peu près à la même hauteur par
rapport au lit que le crochet fixé au poteau
par rapport au sol de la bibliothèque, était
un gros anneau d'acier brillant, où passait
une longue chaîne d'acier qui pendait droit
sur le lit ; ses anneaux entassés formaient
une petite pile, l'autre extrémité s'accrochait à portée de la main à un crochet
cadenassé, comme une draperie que l'on
aurait tirée et prise dans une embrasse.

« Nous devons vous faire prendre votre
bain, dit Jeanne. Je vais défaire votre robe. »

Les seuls traits particuliers à la salle de
bains étaient le siège à la turque, dans l'angle le plus proche de la porte, et le fait que
les parois étaient entièrement revêtues de
glace. Andrée et Jeanne ne laissèrent O pénétrer que quand elle fut nue, rangèrent sa
robe dans le placard près du lavabo, où
étaient déjà rangées ses mules et sa cape

rouge, et demeurèrent avec elle, si bien que lorsqu'elle dut s'accroupir sur le socle de porcelaine, elle se trouva au milieu de tant de reflets aussi exposée que dans la bibliothèque lorsque des mains inconnues la forçaient. « Attendez que ce soit Pierre, dit Jeanne, et vous verrez. — Pourquoi Pierre ? — Quand il viendra vous enchaîner, il vous fera peut-être accroupir. » O se sentit pâlir. « Mais pourquoi ? dit-elle. — Vous serez bien obligée, répliqua Jeanne, mais vous avez de la chance. — Pourquoi de la chance ? — C'est votre amant qui vous a amenée ? — Oui, dit O. — On sera beaucoup plus dur avec vous. — Je ne comprends pas... — Vous comprendrez très vite. Je sonne Pierre. Nous viendrons vous chercher demain matin. »

Andrée sourit en partant, et Jeanne, avant de la suivre, caressa, à la pointe des seins, O qui restait debout au pied du lit, interdite. A la réserve du collier et des bracelets de cuir, que l'eau avait durcis quand elle s'était baignée, et qui la serraient davantage, elle était nue. « Alors la belle dame », dit le valet en entrant. Et il lui saisit les deux mains. Il fit glisser l'un dans l'autre les deux anneaux de ses bracelets, ce qui lui joignit étroitement les poignets, et ces deux anneaux dans l'anneau du collier. Elle se trouva donc les mains jointes à la hauteur du cou, comme en prière. Il ne restait plus qu'à l'enchaîner au mur, avec la chaîne qui reposait sur le lit et passait dans l'anneau au-dessus. Il défit le crochet qui en fixait l'autre extrémité, et tira pour la raccourcir. O fut obligé d'avancer vers la tête du lit, où il la fit coucher. La chaîne cliquetait dans l'anneau, et se tendit si bien que la jeune femme pouvait seulement se déplacer sur la largeur du lit, ou se tenir debout de chaque côté du chevet. Comme la chaîne tirait le collier au plus court, c'est-à-dire vers l'arrière, et que les mains tendaient à le ramener en avant, il s'établit un équilibre, les mains jointes se couchèrent vers l'épaule gauche, vers laquelle la tête se pencha aussi. Le valet ramena sur O la couverture noire, mais après lui avoir rabattu un instant les jambes sur la poitrine, pour examiner l'entrebâillement de ses cuisses. Il ne la toucha pas davantage, ne dit pas un mot, éteignit la lumière, qui était une applique entre les deux portes, et sortit.

Couchée sur le côté gauche, et seule dans le noir et le silence, chaude entre ses deux épaisseurs de fourrure, et par force immobile, O se demandait pourquoi tant de douceur se mêlait en elle à la terreur, ou pourquoi la terreur lui était si douce. Elle s'aperçut qu'une des choses qui lui étaient le plus déchirantes, c'était que l'usage de ses mains lui fût enlevé ; non que ses mains eussent pu la défendre (et désirait-elle se défendre ?) mais libres, elles en auraient ébauché le geste, auraient tenté de repousser les mains qui s'emparaient d'elle, la chair qui la transperçait, de s'interposer entre ses reins et le fouet. On l'avait délivrée de ses mains ; son corps sous la fourrure lui était à elle-même inaccessible ; que c'était étrange de ne pouvoir toucher ses propres genoux, ni le creux de son propre ventre. Ses lèvres entre les jambes, qui la brûlaient, lui étaient interdites, et la brûlaient peut-être parce qu'elle les savait ouvertes à qui voudrait : au valet Pierre, s'il lui plaisait d'entrer. Elle s'étonnait que le souvenir du fouet qu'elle avait reçu la laissât aussi sereine, alors que la pensée qu'elle ne saurait sans doute jamais lequel des quatre hommes lui avait par deux fois forcé les reins, et si c'était les deux fois le même, et si ce n'était pas son amant, la bouleversait. Elle glissa un peu sur le ventre, songea que son amant aimait le sillon de ses reins, qu'à la réserve de ce soir (si c'était lui) il n'avait jamais pénétré. Elle souhaita que c'eût été lui ; lui demanderait-elle ? Ah ! jamais. Elle revit la main qui dans la voiture lui avait pris sa ceinture et son slip, et tendu les jarretières pour qu'elle roulât ses bas au-dessus de ses genoux. Si vive fut l'image qu'elle oublia qu'elle avait les mains liées, fit grincer sa chaîne. Et pourquoi si la mémoire du supplice lui était aussi légère, la seule idée, le seul mot, la seule vue d'un fouet lui faisaient-ils battre le cœur à grands coups et fermer les yeux d'épouvante ? Elle ne s'arrêta pas à considérer si c'était seulement l'épouvante ; une panique la saisit : on halerait sa chaîne pour la mettre debout sur son lit et on la fouetterait, le ventre collé au mur et on la fouetterait, fouetterait, le mot tournoyait dans sa tête. Pierre la fouetterait, Jeanne l'avait dit. Vous avez de la chance, avait répété Jeanne, on sera beaucoup plus dur avec vous, qu'avait-elle voulu dire ? Elle ne sentait plus que le collier, les bracelets et la chaîne, son corps partait à la dérive, elle allait comprendre. Elle s'endormit.

Aux dernières heures de la nuit, quand elle est plus noire et plus froide, juste avant l'aube, Pierre reparut. Il alluma la lumière de la salle de bains en laissant la porte ouverte, ce qui faisait un carré de clarté sur le milieu du lit, à l'endroit où le corps d'O, mince et recroquevillé, enflait un peu la couverture, qu'il rejeta en silence. Comme O était couchée sur la gauche, le visage vers la fenêtre, et les genoux un peu remontés, elle offrait à son regard sa croupe très blanche sur la fourrure noire. De sous sa tête, il ôta l'oreiller, dit poliment : « Voulez-vous vous mettre debout, s'il vous plaît » et lorsqu'elle fut à genoux, ce qu'elle dut commencer à faire en s'accrochant à la chaîne, l'aida en la prenant par les coudes pour qu'elle se dressât tout à fait, et s'accotât face au mur. Le reflet de la lumière sur le lit, qui était faible, puisque le lit était noir, éclairait son corps à elle, non ses gestes à lui. Elle devina, et ne vit pas, qu'il détachait la chaîne du mousqueton pour la raccrocher à un autre maillon, de manière qu'elle demeurât tendue, et elle la sentit se tendre. Ses pieds reposaient, nus, bien à plat sur le lit. Elle ne vit pas non plus qu'il avait à la ceinture, non pas le fouet de cuir, mais la cravache noire pareille à celle dont on l'avait frappée deux fois seulement, et presque légèrement, quand elle était au poteau. La main gauche de Pierre se posa sur sa taille, le matelas fléchit un peu, c'est qu'il y avait posé le pied droit pour être d'aplomb. En même temps qu'elle entendit un sifflement dans la pénombre, O sentit une atroce brûlure par le travers des reins, et hurla. Pierre la cravachait à toute volée. Il n'attendit pas qu'elle se tût, et recommença quatre fois, en prenant soin de cingler chaque fois ou plus haut ou plus bas que la fois précédente, pour que les traces fussent nettes. Il avait cessé qu'elle criait encore, et que ses larmes coulaient dans sa bouche ouverte. « Vous voudrez bien vous retourner », dit-il, et comme éperdue, elle n'obéissait pas, il la prit par les hanches, sans lâcher la cravache dont le manche effleura sa taille. Lorsqu'elle lui fit face, il se donna un peu de recul, puis de toute sa force abattit sa cravache sur le devant des cuisses. Le tout avait duré cinq minutes. Quand il partit, après avoir refermé la lumière et la porte de la salle de bains, O gémissante oscillait de douleur le long du mur, au bout de sa chaîne, dans le noir. Elle mit à se taire et à s'immobiliser contre la paroi dont la percale brillante était fraîche à sa peau déchirée, tout le temps que le jour mit à se lever. La grande fenêtre, vers laquelle elle était tournée, car elle s'appuyait sur le flanc, était orientée vers l'est, et allait du plafond au sol, sans aucun rideau, sinon la même étoffe rouge que celle qui était au mur, et qui la drapait de chaque côté, et se cassait en plis raides dans les embrasses. O regarda naître une lente aurore pâle, qui traînait ses brumes sur les touffes d'asters dehors au pied de la fenêtre, et dégageait enfin un peuplier. Les feuilles jaunies tombaient de temps en temps en tourbillonnant, bien qu'il n'y eût aucun vent. Devant la fenêtre, après le massif d'asters mauves, il y avait une pelouse, au bout de la pelouse une allée. Il faisait grand jour et depuis longtemps O ne bougeait plus. Un jardinier apparut le long de l'allée, poussant une brouette. On entendait grincer la roue de fer sur le gravier. S'il s'était approché pour balayer les feuilles tombées au pied des asters, la fenêtre était si grande et la pièce si petite et si claire qu'il aurait vu O enchaînée nue et les marques de la cravache sur ses cuisses. Les balafres s'étaient gonflées, et formaient des bourrelets étroits beaucoup plus foncés que le rouge des murs. Où dormait son amant, comme il aimait dormir au matin calme ? Dans quelle chambre, dans quel lit ? Savait-il à quel supplice il l'avait donnée ? Est-ce lui qui l'avait décidé ? O songea aux prisonniers, comme on en voyait sur les gravures dans les livres d'histoire, qui avaient été enchaînés et fouettés aussi, il y avait combien d'années, ou de siècles, et qui étaient morts. Elle ne souhaita pas mourir, mais si le supplice était le prix à payer pour que son amant continuât à l'aimer, elle souhaita seulement qu'il fût content qu'elle l'eût subi, et attendit, toute douce et muette, qu'on la ramenât vers lui.

Aucune femme n'avait les clefs, ni celles des portes, ni celles des chaînes, ni celles des bracelets et des colliers, mais tous les hommes portaient à un anneau les trois sortes de clefs qui, chacune dans leur genre, ouvraient toutes les portes, ou tous les cadenas, ou tous les colliers. Les valets les avaient aussi. Mais, au matin, les valets qui avaient été de service la nuit dormaient, et c'est l'un des maîtres ou un autre valet qui venait ouvrir les serrures. L'homme qui entra dans la cellule d'O était habillé d'un blouson de cuir et d'une culotte de cheval, et botté. Elle ne le reconnut pas. Il défit d'abord la chaîne du mur, et O put se coucher sur le lit. Avant de lui détacher les poignets, il lui passa la main entre les cuisses, comme l'avait fait l'homme masqué et ganté qu'elle avait vu le premier dans le petit salon rouge. C'était peut-être le même. Il avait le visage osseux et décharné, le regard droit qu'on voit aux portraits des vieux huguenots, et ses cheveux étaient gris. O soutint son regard un temps qui lui parut interminable, et brusquement glacée se souvint qu'il était interdit de regarder les maîtres plus haut que la ceinture. Elle ferma les yeux, mais trop tard et l'entendit rire et dire, pendant qu'il libérait enfin ses mains : « Vous noterez une punition après dîner. » Il parlait à Andrée et à Jeanne, qui

étaient entrées avec lui, et qui attendaient
debout de chaque côté du lit. Sur quoi il
s'en alla. Andrée ramassa l'oreiller qui était
par terre, et la couverture que Pierre avait
rabattue vers le pied du lit, quand il était
venu fouetter O, pendant que Jeanne tirait
vers le chevet une table roulante qui avait
été amenée dans le couloir et portait du café,
du lait, du sucre, du pain, du beurre et des
croissants. « Mangez vite, dit Andrée, il est
neuf heures, vous pourrez ensuite dormir
jusqu'à midi, et quand vous entendrez sonner il sera temps de vous apprêter pour le
déjeuner. Vous vous baignerez et vous vous
coifferez, je viendrai vous farder et vous
lacer votre corset. — Vous ne serez de service que dans l'après-midi, dit Jeanne, pour
la bibliothèque : servir le café, les liqueurs
et entretenir le feu. — Mais vous ? dit O.
— Ah ! nous sommes seulement chargées de
vous pour les premières vingt-quatre heures
de votre séjour, ensuite vous serez seule et
vous n'aurez affaire qu'aux hommes. Nous
ne pourrons pas vous parler, et vous non
plus à nous. — Restez, dit O, restez encore,
et dites-moi... » mais elle n'eut pas le temps
d'achever, la porte s'ouvrit : c'était son

amant, et il n'était pas seul. C'était son amant vêtu comme lorsqu'il sortait du lit, et qu'il allumait la première cigarette de la journée : en pyjama rayé, et robe de chambre de lainage bleu, la robe de chambre aux revers de soie matelassée qu'ils avaient choisie ensemble un an plus tôt. Et ses chaussons étaient râpés, il faudrait en acheter d'autres. Les deux femmes disparurent, sans autre bruit que le crissement de la soie lorsqu'elles relevèrent leurs jupes (toutes les jupes traînaient un peu) — sur les tapis les mules ne s'entendaient pas. O, qui tenait une tasse de café à la main gauche et de l'autre un croissant, assise à demi en tailleur au rebord du lit, une jambe pendante et l'autre repliée, resta immobile, sa tasse tremblant soudain dans sa main, cependant que le croissant lui échappait. « Ramasse-le », dit René. Ce fut sa première parole. Elle posa la tasse sur la table, ramassa le croissant entamé, et le posa à côté de la tasse. Une grosse miette du croissant était restée sur le tapis, contre son pied nu. René se baissa à son tour et la ramassa. Puis il s'assis près d'O, la renversa et l'embrassa. Elle lui demanda s'il l'aimait. Il lui répondit : « Ah ! je t'aime », puis se releva et la fit mettre debout, appuyant doucement la paume fraîche de ses mains, puis ses lèvres tout le long des balafres. Parce qu'il était venu avec son amant, O ne savait si elle pouvait ou non regarder l'homme qui était entré avec lui, et qui pour l'instant leur tournait le dos, et fumait, près de la porte. Ce qui suivit ne la mit pas hors de peine. « Viens qu'on te voie », dit son amant, et l'ayant entraînée au pied du lit, il fit remarquer à son compagnon qu'il avait eu raison, et le remercia, ajoutant qu'il était bien juste qu'il prît O le premier s'il en avait envie. L'inconnu, qu'elle n'osait toujours pas regarder, demanda alors, après avoir passé la main sur ses seins et le long de ses reins, qu'elle écartât les jambes. « Obéis », lui dit René, qui la soutint debout, appuyée du dos contre lui qui était debout aussi. Et sa main droite lui caressait un sein, et l'autre lui tenait l'épaule. L'inconnu s'était assis sur le rebord du lit, il avait saisi et lentement ouvert, en tirant sur la toison, les lèvres qui protégeaient le creux du ventre. René la poussa en avant, pour qu'elle fût mieux à portée, quand il comprit ce qu'on désirait d'elle, et son bras droit glissa autour de sa taille, ce qui lui donnait plus de prise. Cette caresse qu'elle n'acceptait jamais sans se débattre et sans être comblée de honte, et à laquelle elle se dérobait aussi vite qu'elle pouvait, si vite qu'elle avait à peine le temps d'en être atteinte, et qui lui semblait sacrilège, parce qu'il lui semblait sacrilège que son amant fût à ses genoux, alors qu'elle devait être aux siens, elle sentit soudain qu'elle n'y échapperait pas, et se vit perdue. Car elle gémit quand les lèvres étrangères, qui appuyaient sur le renflement de chair d'où part la corolle intérieure, l'enflammèrent brusquement, le quittèrent pour laisser la pointe chaude de la langue l'enflammer davantage ; elle gémit plus fort quand les lèvres la reprirent ; elle sentit durcir et se dresser la pointe cachée, qu'entre les dents et les lèvres une longue morsure aspirait et ne lâchait plus, une longue et douce morsure, sous laquelle elle haletait ; le pied lui manqua, elle se retrouva étendue sur le dos, la bouche de René sur sa bouche ; ses deux mains lui plaquaient les épaules sur le lit, cependant que deux autres mains sous ses jarrets lui ouvraient et lui relevaient les

jambes. Ses mains à elle, qui étaient sous
ses reins (car au moment où René l'avait
poussé vers l'inconnu, il lui avait lié les poignets en joignant les anneaux des bracelets),
ses mains furent effleurées par le sexe de
l'homme qui se caressait au sillon de ses
reins, remontait et alla frapper au fond de
la gaine de son ventre. Au premier coup elle
cria, comme sous le fouet, puis à chaque
coup, et son amant lui mordit la bouche.
L'homme la quitta d'un brusque arrache-
ment, rejeté à terre comme par une foudre,
et lui aussi cria. René défit les mains d'O,
la remonta, la coucha sous la couverture.
L'homme se relevait, il alla avec lui vers
la porte. Dans un éclair, O se vit délivrée,
anéantie, maudite. Elle avait gémi sous les
lèvres de l'étranger comme jamais son amant
ne l'avait fait gémir, crié sous le choc du
membre de l'étranger comme jamais son
amant ne l'avait fait crier. Elle était pro-
fanée et coupable. S'il la quittait, ce serait
juste. Mais non, la porte se refermait, il
restait avec elle, revenait, se couchait le
long d'elle, sous la couverture, se glissait
dans son ventre humide et brûlant, et la
tenant embrassée, lui disait : « Je t'aime.

Quand je t'aurai donnée aussi aux valets, je viendrai une nuit te faire fouetter jusqu'au sang. » Le soleil avait percé la brume et inondait la chambre. Mais seule la sonnerie de midi les réveilla.

O ne sut que faire. Son amant était là, aussi proche, aussi tendrement abandonné que dans le lit de la chambre au plafond bas, où il venait dormir auprès d'elle presque chaque nuit, depuis qu'ils habitaient ensemble. C'était un grand lit à quenouilles, à l'anglaise, en acajou, mais sans ciel de lit, et dont les quenouilles au chevet étaient plus hautes que celles du pied. Il dormait toujours à gauche, et quand il se réveillait, fût-ce au milieu de la nuit, allongeait toujours la main vers ses jambes. C'est pourquoi elle ne portait jamais que des chemises de nuit, ou quand elle avait un pyjama ne mettait jamais le pantalon. Il fit de même ; elle prit cette main et la baisa, sans oser rien lui demander. Mais il parla. Il lui dit, tout en la tenant par le collier, deux doigts glissés entre le cuir et le cou, qu'il entendait qu'elle fût désormais mise en commun entre lui et ceux dont il déciderait, et ceux qu'il ne connaîtrait pas qui étaient affiliés à la société du château, comme elle l'avait été la veille au soir. Que c'est de lui, et de lui seul qu'elle dépendait, même si elle recevait des ordres d'autres que lui, qu'il fût présent ou absent, car il participait par principe à n'importe quoi qu'on pût exiger d'elle ou lui infliger, et que c'était lui qui la possédait et jouissait d'elle à travers ceux aux mains de qui elle était remise, du seul fait qu'il la leur avait remise. Elle devait leur être soumise et les accueillir avec le même respect avec lequel elle l'accueillait, comme autant d'images de lui. Il la posséderait ainsi comme un dieu possède ses créatures, dont il s'empare sous le masque d'un monstre ou d'un oiseau, de l'esprit invisible ou de l'extase. Il ne voulait pas se séparer d'elle. Il tenait d'autant plus à elle qu'il la livrait davantage. Le fait qu'il la donnait lui était une preuve, et devait en être une pour elle, qu'elle lui appartenait ; on ne donne que ce qui vous appartient. Il la donnait pour la reprendre aussitôt, et la reprenait enrichie à ses yeux, comme un objet ordinaire qui aurait servi à un usage divin et se trouverait par là consacré. Il désirait depuis longtemps la prostituer, et il sentait avec joie que le plaisir qu'il en tirait était plus grand qu'il ne l'avait espéré, et l'attachait à elle davantage comme il l'attacherait à lui, d'autant plus qu'elle en serait plus humiliée et plus meurtrie. Elle ne pouvait, puisqu'elle l'aimait, qu'aimer ce qui lui venait de lui. O écoutait et tremblait de bonheur, puisqu'il l'aimait, tremblait, consentante. Il le devina sans doute, car il reprit : « C'est parce qu'il t'est facile de consentir que je veux de toi ce à quoi il te sera impossible de consentir, même si d'avance tu l'acceptes, même si tu dis oui maintenant, et que tu t'imagines capable de te soumettre. Tu ne pourras pas ne pas te révolter. On obtiendra ta soumission malgré toi, non seulement pour l'incomparable plaisir que moi ou d'autres y trouverons, mais pour que tu prennes conscience de ce qu'on a fait de toi. » O allait répondre qu'elle était son esclave, et portait ses liens avec joie. Il l'arrêta : « On t'a dit hier que tu ne devais, tant que tu serais dans ce château, ni regarder un homme au visage, ni lui parler. Tu ne le dois pas davantage à moi, mais te taire, et obéir. Je t'aime. Lève-toi. Tu n'ouvriras désormais ici la bouche, en présence d'un homme,

que pour crier ou caresser. » O se leva donc.
René resta étendu sur le lit. Elle se baigna,
se coiffa, l'eau tiède la fit frémir quand ses
reins meurtris y plongèrent, et elle dut
s'éponger sans frotter, pour ne pas réveiller la brûlure. Elle farda sa bouche, non ses
yeux, se poudra, et toujours nue, mais les
yeux baissés, revint dans la cellule. René
regardait Jeanne, qui était entrée, et se tenait
debout au chevet du lit, elle aussi les yeux
baissés, muette elle aussi. Il lui dit d'habiller O. Jeanne prit le corset de satin vert, le
jupon blanc, la robe, les mules vertes, et
ayant agrafé le corset d'O sur le devant,
commença à serrer le lacet par-derrière.
Le corset était durement baleiné, long et
rigide, comme au temps des tailles de
guêpes, et comportait des goussets où reposaient les seins. A mesure qu'on serrait, les
seins remontaient, s'appuyaient par-dessous
sur le gousset, et offraient davantage leur
pointe. En même temps, la taille s'étranglait,
ce qui faisait saillir le ventre et cambrer
profondément les reins. L'étrange est que
cette armature était très confortable, et
jusqu'à un certain point reposante. On s'y
tenait bien droite, mais elle rendait sen-

sible, sans qu'on sût très bien pourquoi, à moins que ce ne fût par contraste, la liberté ou plutôt la disponibilité de ce qu'elle ne comprimait pas. La large jupe et le corsage échancré en trapèze, de la base du cou jusqu'à la pointe et sur toute la largeur des seins, semblaient à la fille qu'elle revêtait moins une protection qu'un appareil de provocation, de présentation. Lorsque Jeanne eut noué le lacet d'un double nœud, O prit sur le lit sa robe, qui était d'une seule pièce, le jupon tenu à la jupe comme une doublure amovible, et le corsage, croisé devant et noué derrière pouvant suivre ainsi la ligne plus ou moins fine du buste, selon qu'on avait plus ou moins serré le corset. Jeanne l'avait beaucoup serré, et O se voyait dans le miroir de la salle de bains, par la porte restée ouverte, mince et perdue dans l'épais satin vert qui bouillonnait sur ses hanches, comme auraient fait des paniers. Les deux femmes étaient debout l'une près de l'autre. Jeanne allongea le bras pour rectifier un pli à la manche de la robe verte, et ses seins bougèrent dans la dentelle qui bordait son corsage, des seins dont la pointe était longue et l'aréole brune. Sa robe était de faille

jaune. René qui s'était approché des deux
femmes dit à O : « Regarde. » Et à Jeanne :
« Relève ta robe. » A deux mains elle releva
la soie craquante et le linon qui la doublait
découvrant un ventre doré, des cuisses et
des genoux polis, et un noir triangle clos.
René y porta la main et le fouilla lentement,
de l'autre main faisant saillir la pointe d'un
sein. « C'est pour que tu voies », dit-il à O.
O voyait. Elle voyait son visage ironique
mais attentif, ses yeux qui guettaient la
bouche entrouverte de Jeanne et le cou renversé que serrait le collier de cuir. Quel
plaisir lui donnait-elle, elle, que celle-ci, ou
une autre, ne lui donnât aussi ? « Tu n'y
avais pas pensé ? » dit-il encore. Non, elle
n'y avait pas pensé. Elle s'était affaissée
contre le mur entre les deux portes, toute
droite, les bras abandonnés. Il n'y avait
plus besoin de lui ordonner de se taire.
Comment aurait-elle parlé ? Peut-être fut-il
touché de son désespoir. Il quitta Jeanne
pour la prendre dans ses bras, l'appelant
son amour et sa vie, répétant qu'il l'aimait.
La main dont il lui caressait la gorge et le
cou était moite de l'odeur de Jeanne. Et
après ? Le désespoir qui l'avait noyée

reflua : il l'aimait, ah ! il l'aimait. Il était
bien maître de prendre plaisir à Jeanne, ou
à d'autres, il l'aimait. « Je t'aime, disait-elle
à son oreille, je t'aime », si bas qu'il entendait à peine. « Je t'aime. » Il ne partit que
lorsqu'il la vit douce et les yeux clairs,
heureuse.

Jeanne prit O par la main et l'entraîna
dans le couloir. Leurs mules claquèrent de
nouveau sur le carrelage, et elles trouvèrent
de nouveau sur la banquette, entre les
portes, un valet. Il était vêtu comme Pierre,
mais ce n'était pas lui. Celui-ci était grand,
sec, et le poil noir. Il les précéda, et les fit
entrer dans une antichambre où, devant
une porte en fer forgé qui se découpait sur
de grands rideaux verts, deux autres valets
attendaient, des chiens blancs tachés de
feu à leurs pieds. « C'est la clôture », murmura Jeanne. Mais le valet qui marchait
devant l'entendit et se retourna. O vit avec
stupeur Jeanne devenir toute pâle et lâcher
sa main, lâcher sa robe qu'elle tenait légèrement de l'autre main, et tomber à genoux
sur le dallage noir — car l'antichambre
était dallée de marbre noir. Les deux valets

près de la grille se mirent à rire. L'un d'eux
s'avança vers O en la priant de le suivre,
ouvrit une porte face à celle qu'elle venait de
franchir et s'effaça. Elle entendit rire, et
qu'on marchait, puis la porte se referma
sur elle. Jamais, mais jamais elle n'apprit
ce qui s'était passé, si Jeanne avait été punie
pour avoir parlé, ni comment, ou si elle
avait cédé seulement à un caprice du valet,
si en se jetant à genoux elle avait obéi à
une règle, ou voulu le fléchir et réussi. Elle
s'aperçut seulement, pendant son premier
séjour au château, qui dura deux semaines,
que bien que la règle du silence fût absolue,
il était rare que pendant les allées et venues,
ou pendant les repas, on ne tentât point de
l'enfreindre, et particulièrement le jour, en
la seule présence des valets, comme si le
vêtement eût donné une assurance, que la
nudité et les chaînes de la nuit, et la présence des maîtres, effaçaient. Elle s'aperçut aussi que, tandis que le moindre geste
qui pût ressembler à une avance vers un
des maîtres paraissait tout naturellement
inconcevable, il n'en était pas de même avec
les valets. Ceux-ci ne donnaient jamais un
ordre, bien que la politesse de leurs prières

fût aussi implacable que des ordres. Il leur
était apparemment enjoint de punir les
infractions à la règle, quand ils en étaient
seuls témoins, sur-le-champ. O vit ainsi,
à trois reprises, une fois dans le couloir qui
menait à l'aile rouge, et les deux autres fois
dans le réfectoire où on venait de la faire
pénétrer, des filles surprises à parler jetées
à terre et fouettées. On pouvait donc être
fouettées en plein jour, malgré ce qui lui
avait été dit le premier soir, comme si ce
qui se passait avec les valets dût ne pas
compter, et être laissé à leur discrétion. Le
plein jour donnait au costume des valets un
aspect étrange et menaçant. Quelques-uns
portaient des bas noirs, et au lieu de veste
rouge et de jabot blanc, une chemise souple
de soie rouge à larges manches, froncée
au cou, les manches serrées aux poignets.
Ce fut un de ceux-là qui, le huitième jour,
à midi, le fouet déjà à la main, fit lever de
son tabouret, près d'O, une opulente Madeleine blonde, à la gorge de lait et de roses,
qui lui avait souri et dit quelques mots si
vite qu'O ne les avait pas compris. Avant
qu'il l'eût touchée, elle était à ses genoux,
ses mains si blanches effleurèrent sous la

soie noire le sexe encore au repos qu'elle dégagea et approcha de sa bouche entrouverte. Elle ne fut pas fouettée cette fois-là. Et comme il était le seul surveillant, à cet instant, dans le réfectoire, et qu'il fermait les yeux à mesure qu'il acceptait la caresse, les autres filles parlèrent. On pouvait donc soudoyer les valets. Mais à quoi bon ? S'il y avait une règle à laquelle O eut de la peine à se plier, et finalement ne se plia jamais tout à fait, c'était la règle qui interdisait de regarder les hommes au visage — du fait que la règle était aussi applicable à l'égard des valets. O se sentait en danger constant, tant la curiosité des visages la dévorait, et elle fut en effet fouettée par l'un ou par l'autre, non pas à la vérité chaque fois qu'ils s'en aperçurent (car ils prenaient des libertés avec les consignes, et peut-être tenaient assez à la fascination qu'ils exerçaient pour ne pas se priver par une rigueur trop absolue et trop efficace des regards qui ne quittaient leurs yeux et leur bouche que pour revenir à leur sexe, à leur fouet, à leurs mains, et recommencer), mais sans doute chaque fois qu'ils eurent envie de l'humilier. Si cruellement qu'ils l'eussent traitée, quand ils s'y étaient décidés, elle n'eut cependant jamais le courage, ou la lâcheté, de se jeter d'elle-même à leurs genoux, et les subit parfois, mais ne les sollicita jamais. Quant à la règle du silence, sauf à l'égard de son amant, elle lui était si légère qu'elle n'y manqua pas une fois, répondant par signes quand une autre fille profitait d'un moment d'inattention de leurs gardiens pour lui parler. C'était généralement pendant les repas, qui avaient lieu dans la salle où on l'avait fait entrer, quand le grand valet qui les accompagnait s'était retourné sur Jeanne. Les murs étaient noirs et le dallage noir, la table longue noire aussi, en verre épais, et chaque fille avait pour s'asseoir un tabouret rond recouvert de cuir noir. Il fallait relever sa jupe pour s'y poser, et O retrouvait ainsi, au contact du cuir lisse et froid sous ses cuisses, le premier instant où son amant lui avait fait ôter ses bas et son slip, et l'avait fait asseoir à même la banquette de la voiture. Inversement, lorsqu'elle eut quitté le château, et qu'elle dut, vêtue comme tout le monde, mais les reins nus sous son tailleur banal ou sa robe ordinaire, relever à chaque fois sa combinaison et sa jupe pour s'asseoir aux côtés de son amant, ou d'un autre, à même la banquette d'une auto ou d'un café, c'était le château qu'elle retrouvait, les seins offerts dans les corsets de soie, les mains et les bouches à qui tout était permis, et le terrible silence. Rien cependant qui lui ait été d'autant de secours que le silence, sinon les chaînes. Les chaînes et le silence, qui auraient dû la ligoter au fond d'elle-même, l'étouffer, l'étrangler, tout au contraire la délivraient d'elle-même. Que serait-il advenu d'elle, si la parole lui avait été accordée, si un choix lui avait été laissé, lorsque son amant la prostituait devant lui ? Elle parlait il est vrai dans les supplices, mais peut-on appeler paroles ce qui n'est que plaintes et cris ? Encore la faisait-on souvent taire en la bâillonnant. Sous les regards, sous les mains, sous les sexes qui l'outrageaient, sous les fouets qui la déchiraient, elle se perdait dans une délirante absence d'elle-même qui la rendait à l'amour, et l'approchait peut-être de la mort. Elle était n'importe qui, elle était n'importe laquelle des autres filles, ouvertes et forcées comme elle, et qu'elle voyait ouvrir et forcer, car elle le voyait, quand même elle ne devait pas y aider. Le jour qui fut son deuxième jour, quand vingt-quatre heures n'étaient pas encore écoulées depuis son arrivée, elle fut donc, après le repas, conduite dans la bibliothèque, pour y faire le service du café et du feu. Jeanne l'accompagnait, que le valet au poil noir avait ramenée, et une autre fille qui s'appelait Monique. C'est le même valet qui les conduisit, et demeura dans la pièce, debout près du poteau où O avait été attachée. La bibliothèque était encore déserte. Les portes-fenêtres ouvraient à l'ouest, et le soleil d'automne, qui tournait lentement dans un grand ciel paisible, à peine nuageux, éclairait sur une commode une énorme gerbe de chrysanthèmes soufre qui sentaient la terre et les feuilles mortes. « Pierre vous a marquée hier soir ? » demanda le valet à O. Elle fit signe que oui. « Vous devez donc le montrer, dit-il, veuillez relever votre robe. » Il attendit qu'elle eût roulé sa robe par-derrière, comme Jeanne l'avait fait la veille au soir, et que Jeanne l'eût aidée à la fixer. Puis il lui dit d'allumer le feu. Les reins d'O jusqu'à la taille, ses cuisses, ses fines jambes s'encadraient dans les plis en cascade de la soie verte et du linon blanc.

Les cinq balafres étaient noires. Le feu était prêt dans l'âtre, O n'eut qu'une allumette à mettre à la paille sous les brindilles, qui s'enflammèrent. Les branchages de pommier eurent bientôt pris, puis les bûches de chêne, qui brûlaient avec de hautes flammes pétillantes et claires, presque invisibles dans le grand jour, mais odorantes. Un autre valet entra, posa sur la console d'où l'on avait retiré la lampe un plateau avec des tasses et le café, puis s'en alla. O s'avança près de la console, Monique et Jeanne restèrent debout de chaque coté de la cheminée. A ce moment-là deux hommes entrèrent, et le premier valet sortit à son tour. O crut reconnaître, à sa voix, l'un de ceux qui l'avait forcée la veille, et qui avait demandé qu'on rendît plus facile l'accès de ses reins. Elle le regardait à la dérobée, tout en versant le café dans les petites tasses noir et or, que Monique offrit, avec du sucre. Ce serait donc ce garçon mince, si jeune, blond, qui avait l'air d'un Anglais. Il parla encore, elle n'eut plus de doute. L'autre était blond aussi, trapu, avec une figure épaisse. Tous deux assis dans les grands fauteuils de cuir, les pieds au feu, fumèrent tranquillement, en lisant leurs journaux, sans plus s'inquiéter des femmes que si elles n'avaient pas été là. De temps en temps, on entendait un froissement de papier, des braises qui croulaient. De temps en temps, O remettait une bûche sur le feu. Elle était assise sur un coussin par terre près du panier de bois, Monique et Jeanne par terre aussi en face d'elle. Leurs jupes étalées se mêlaient. Celle de Monique était rouge sombre. Tout à coup, mais au bout d'une heure seulement, le garçon blond appela Jeanne, puis Monique. Il leur dit d'apporter le pouf (c'était le pouf contre lequel on avait renversé O à plat ventre la veille). Monique n'attendit pas d'autres ordres, elle s'agenouilla, se pencha, la poitrine écrasée contre la fourrure et tenant à pleines mains les deux coins du pouf. Lorsque le garçon fit relever par Jeanne la jupe rouge, elle ne bougea pas. Jeanne dut alors, et il en donna l'ordre dans les termes les plus brutaux, défaire son vêtement, et prendre entre ses deux mains cette épée de chair qui avait si cruellement, au moins une fois transpercé O. Elle se gonfla et se raidit contre la paume refermée, et O vit ces mêmes mains, les mains menues de Jeanne, qui écartaient les cuisses de Monique au creux desquelles, lentement, et à petites secousses qui la faisaient gémir, le garçon s'enfonçait. L'autre homme, qui regardait sans mot dire, fit signe à O d'approcher, et sans cesser de regarder, l'ayant fait basculer en avant sur un des bras du fauteuil — et sa jupe relevée lui offrait toute la longueur de ses reins — lui prit le ventre à pleines mains. Ce fut ainsi que René la trouva, une minute plus tard, quand il ouvrit la porte. « Ne bougez pas, je vous en prie », dit-il, et il s'assit par terre sur le coussin où O était assise au coin de la cheminée, avant qu'on l'appelât. Il la regardait attentivement et souriait chaque fois que la main qui la tenait, la fouillait, revenait, et s'emparait à la fois, de plus en plus profondément, de son ventre et de ses reins qui s'ouvraient davantage, lui arrachait un gémissement qu'elle ne pouvait pas retenir. Monique était depuis longtemps relevée, Jeanne tisonnait le feu à la place d'O : elle apporta à René qui lui baisa la main, un verre de wisky qu'il but sans quitter O des yeux. L'homme qui la tenait toujours dit alors : « Elle est à vous ? — Oui, répondit René. — Jacques a raison, reprit l'autre,

elle est trop étroite, il faut l'élargir. — Pas
trop tout de même, dit Jacques. — A votre
gré, dit René en se levant, vous êtes meilleur
juge que moi. » Et il sonna.

Désormais, huit jours durant, entre la tombée du jour où finissait son service dans la
bibliothèque et l'heure de la nuit, huit heures
ou dix heures généralement, où on l'y ramenait — quand on l'y ramenait — enchaînée
et nue sous une cape rouge, O porta fixée au
centre de ses reins par trois chaînettes tendues à une ceinture de cuir autour de ses
hanches, de façon que le mouvement intérieur de ses muscles ne la pût repousser, une
tige d'ébonite faite à l'imitation d'un sexe
dressé. Une chaînette suivait le sillon des
reins, les deux autres le pli des cuisses de
part et d'autre du triangle du ventre, afin de
ne pas empêcher qu'on y pénétrât au besoin.
Quand René avait sonné, c'était pour faire
apporter le coffret où dans un comparti-
ment il y avait un assortiment de chaînettes
et de ceintures, et dans l'autre un choix de
ces tiges, qui allaient des plus minces aux
plus épaisses. Toutes avaient en commun
qu'elles s'élargissaient à la base, pour qu'on
fût certain qu'elles ne remonteraient pas à

l'intérieur du corps, ce qui aurait risqué de laisser se resserrer l'anneau de chair qu'elles devaient forcer et distendre. Ainsi écartelée, et chaque jour davantage, car chaque jour Jacques, qui la faisait mettre à genoux, ou plutôt prosterner, pour veiller à ce que Jeanne ou Monique, ou telle autre qui se trouvait là, fixassent la tige qu'il avait choisie, la choisissait plus épaisse. Au repas du soir, que les filles prenaient ensemble dans le même réfectoire, mais après leur bain, nues et fardées, O la portait encore, et du fait des chaînettes et de la ceinture, tout le monde pouvait voir qu'elle la portait. Elle ne lui était enlevée, et par lui, qu'au moment où le valet Pierre venait l'enchaîner, soit au mur pour la nuit si personne ne la réclamait, soit les mains au dos s'il devait la reconduire à la bibliothèque. Rares furent les nuits où il ne se trouva pas quelqu'un pour faire usage de cette voie ainsi rapidement rendue aussi aisée, bien que toujours plus étroite que l'autre. Au bout de huit jours aucun appareil ne fut plus nécessaire et son amant dit à O qu'il était heureux qu'elle fût doublement ouverte, et qu'il veillerait à ce qu'elle le demeurât. En même

temps il l'avertit qu'il partait, et que durant
les sept dernières journées qu'elle devait
passer au château avant qu'il revînt la
chercher pour retourner avec elle à Paris,
elle ne le verrait pas. « Mais je t'aime, ajouta-t-il, je t'aime, ne m'oublie pas. » Ah !
comment l'aurait-elle oublié ? Il était la
main qui lui bandait les yeux, le ·fouet du
valet Pierre, il était la chaîne au-dessus de
son lit, et l'inconnu qui la mordait au ventre, et toutes les voix qui lui donnaient des
ordres étaient sa voix. Se lassait-elle ? Non.
A force d'être outragée, il semble qu'elle
aurait dû s'habituer aux outrages, à force
d'être caressée, aux caresses, sinon au fouet
à force d'être fouettée. Une affreuse satiété
de la douleur et de la volupté dût la rejeter
peu à peu sur des berges insensibles, proches
du sommeil ou du somnambulisme. Mais
au contraire. Le corset qui la tenait droite,
les chaînes qui la gardaient soumise, le silence son refuge y étaient peut-être pour
quelque chose, comme aussi le spectacle
constant des filles livrées comme elle, et
même lorsqu'elles n'étaient pas livrées, de
leur corps constamment accessible. Le spectacle aussi et la conscience de son propre

corps. Chaque jour et pour ainsi dire rituellement salie de salive et de sperme, de sueur mêlée à sa propre sueur, elle se sentait à la lettre le réceptacle d'impureté, l'égout dont parle l'Ecriture. Et cependant les parties de son corps les plus constamment offensées, devenues plus sensibles, lui paraissaient en même temps devenues plus belles, et comme anoblies : sa bouche refermée sur des sexes anonymes, les pointes de ses seins que des mains constamment froissaient, et entre ses cuisses écartelées les chemins de son ventre, routes communes labourées à plaisir. Qu'à être prostituée elle dût gagner en dignité étonnait, c'est pourtant de dignité qu'il s'agissait. Elle en était éclairée comme par le dedans, et l'on voyait en sa démarche le calme, sur son visage la sérénité et l'imperceptible sourire intérieur qu'on devine aux yeux des recluses.

Lorsque René l'avertit qu'il la laissait, la nuit était déjà tombée. O était nue dans sa cellule, et attendait qu'on vînt la conduire au réfectoire. Son amant, lui, était vêtu comme à l'ordinaire, d'un costume qu'il portait en ville tous les jours. Quand il la prit dans ses bras, le tweed de son vêtement lui agaça la pointe des seins. Il l'embrassa, la coucha sur le lit, se coucha contre elle, et tendrement et lentement et doucement la prit, allant et venant dans les deux voies qui lui étaient offertes, pour finalement se répandre dans sa bouche, qu'ensuite il embrassa encore. « Avant de partir, je voudrais te faire fouetter, dit-il, et cette fois je te le demande. Acceptes-tu ? » Elle accepta. « Je t'aime, répéta-t-il, sonne Pierre. » Elle sonna. Pierre lui enchaîna les mains au-dessus de sa tête, à la chaîne du lit. Son amant, quand elle fut ainsi liée, l'embrassa encore, debout contre elle sur le lit, lui répéta encore qu'il l'aimait, puis descendit du lit et fit signe à Pierre. Il la regarda se débattre, si vainement, il écouta ses gémissements devenir des cris. Quand ses larmes coulèrent, il renvoya Pierre. Elle trouva la force de lui redire qu'elle l'aimait. Alors il embrassa son visage trempé, sa bouche haletante, la délia, la coucha et partit.

Dire que O, dès la seconde où son amant l'eut quittée, commença de l'attendre, est peu dire : elle ne fut plus qu'attente et que nuit. Le jour elle était comme une figure peinte dont la peau est douce ct la bouche docile, et — ce fut le seul temps où elle observa strictement la règle — qui garde les yeux baissés. Elle faisait et entretenait le feu, versait et offrait le café et l'alcool, allumait les cigarettes, elle arrangeait les fleurs et pliait les journaux comme une jeune fille dans le salon de ses parents, si limpide avec sa gorge découverte et son collier de cuir, son étroit corset et ses bracelets de prisonnière qu'il suffisait aux hommes qu'elle servait d'exiger qu'elle se tînt auprès d'eux quand ils violaient une autre fille pour la vouloir violer aussi ; ce fut pourquoi sans doute on la maltraita davantage. Commit-elle une faute ? ou son amant l'avait-il laissée pour que justement ceux à qui il la prêtait se sentissent plus libres de disposer d'elle ? Toujours est-il que le surlendemain de son départ, comme elle venait, au soir tombé, de quitter ses vêtements, et qu'elle regardait au miroir de sa salle de bains les marques maintenant presque effacées de la cravache de Pierre sur le devant de ses cuisses, Pierre entra. Il y avait deux heures encore avant le dîner. Il lui dit qu'elle ne dînerait pas dans la salle commune, et de s'apprêter, lui désignant dans l'angle le siège à la turque, où elle dut en effet s'accroupir, comme Jeanne l'avait avertie qu'il lui faudrait le faire en présence de Pierre. Tout le temps qu'elle y demeura, il resta à la considérer, elle le voyait dans les miroirs, et se voyait elle-même, incapable de retenir l'eau qui s'échappait de son corps. Il attendit qu'elle eût ensuite pris son bain, et qu'elle fût fardée. Elle allait chercher ses mules et sa cape rouge quand il arrêta son geste, et ajouta, en lui liant les mains au dos, que ce n'était pas la peine, mais qu'elle l'attendît un instant. Elle s'assit sur un coin de lit. Dehors, il y avait une tempête de vent froid et de pluie, et le peuplier près de la fenêtre se courbait et se redressait sous les rafales. Des feuilles pâles, mouillées, se plaquaient de temps en temps sur les vitres. Il faisait noir comme au cœur de la nuit, bien que sept heures ne fussent pas sonnées, mais on avançait dans l'automne, et les jours raccourcissaient. Pierre, revenant, avait à la main le même bandeau dont on lui avait bandé les yeux le premier soir. Il avait aussi, qui cliquetait, une longue chaîne semblable à celle du mur. Il parut à O qu'il hésitait à lui mettre d'abord la chaîne ou d'abord le bandeau. Elle regardait la pluie, indifférente à ce qu'on voulait d'elle, et songeait seulement que René avait dit qu'il reviendrait, qu'il y avait encore cinq jours et cinq nuits à passer, et qu'elle ne savait pas où il était, ni s'il était seul, et, s'il n'était pas seul, avec qui. Mais il reviendrait. Pierre avait posé la chaîne sur le lit et, sans déranger O de ses songes, attachait sur ses yeux le bandeau de velours noir. Il se renflait un peu au-dessous des orbites, et s'appliquait exactement aux pommettes : impossible de glisser le moindre regard, impossible de lever les paupières. Bienheureuse nuit pareille à sa propre nuit, jamais O ne l'accueillit avec tant de joie, bienheureuses chaînes qui l'enlevaient à elle-même. Pierre attachait cette chaîne à l'anneau de son collier, et la priait de l'accompagner. Elle se leva, sentit qu'on la tirait en avant, et marcha. Ses pieds nus se glacèrent sur le carreau, elle comprit qu'elle suivait le couloir de l'aile rouge, puis le sol, toujours aussi froid, devint rugueux : elle marchait sur un dallage de pierre, grès ou granit. A deux reprises, le valet la fit arrêter, elle entendit le bruit d'une clef dans une serrure, ouverte, puis refermée. « Prenez garde aux marches », dit Pierre, et elle descendit un escalier où elle trébucha une fois. Pierre la rattrapa à bras-le-corps. Il ne l'avait jamais touchée que pour l'enchaîner ou la battre, mais voilà qu'il la couchait contre les marches froides où de ses mains liées elle s'accrochait tant bien que mal pour ne pas glisser, et qu'il lui prenait les seins. Sa bouche allait de l'un à l'autre, et en même temps qu'il s'appuyait contre elle, elle sentit qu'il se dressait lentement. Il ne la releva que lorsqu'il eût fait d'elle à son plaisir. Moite et tremblant de froid, elle avait enfin descendu les dernières marches quand elle l'entendit ouvrir encore une porte, qu'elle franchit, et sentit aussitôt sous ses pieds un épais tapis. La chaîne fut encore un peu tirée, puis les mains de Pierre détachaient ses mains, dénouaient son bandeau : elle était dans une pièce ronde et voûtée, très petite et très basse ; les murs et la voûte étaient de pierre sans aucun revêtement, on voyait les joints de la maçonnerie. La chaîne qui était fixée à son collier tenait au mur à un piton à un mètre de haut, face

à la porte et ne lui laissait que la liberté de
faire deux pas en avant. Il n'y avait ni lit ni
simulacre de lit, ni couverture, et seulement
trois ou quatre coussins pareils à des coussins marocains, mais hors de portée, et qui
ne lui étaient pas destinés. Par contre, à sa
portée, dans une niche d'où partait le peu
de lumière qui éclairât la pièce, un plateau
de bois portait de l'eau, des fruits et du pain.
La chaleur des radiateurs qui avaient été
disposés à la base et dans l'épaisseur des
murs, et formaient tout autour comme une
plinthe brûlante, ne suffisait pas cependant
à venir à bout de l'odeur de vase et de terre
qui est l'odeur des anciennes prisons, et dans
les vieux châteaux, des donjons inhabités.
Dans cette chaude pénombre où ne péné-
trait aucun bruit, O eut vite fait de perdre le
compte du temps. Il n'y avait plus ni jour
ni nuit, jamais la lumière ne s'éteignait.
Pierre, ou un autre valet indifféremment,
remettait sur le plateau de l'eau, des fruits
et du pain quand il n'y en avait plus, et la
conduisait se baigner dans un réduit voisin. Elle ne vit jamais les hommes qui entraient, parce qu'un valet entrait chaque
fois avant eux pour lui bander les yeux, et

détachait le bandeau seulement quand ils étaient partis. Elle perdit aussi leur compte, et leur nombre, et ses douces mains ni ses lèvres caressant à l'aveugle ne surent jamais reconnaître qui elles touchaient. Parfois ils étaient plusieurs, et le plus souvent seuls, mais chaque fois, avant qu'on s'approchât d'elle, elle était mise à genoux face au mur, l'anneau de son collier accroché au même piton où était fixée la chaîne, et fouettée. Elle posait ses paumes contre le mur, et appuyait au dos de ses mains son visage, pour ne pas l'égratigner à la pierre ; mais elle y éraflait ses genoux et ses seins. Elle perdit aussi le compte des supplices et de ses cris, que la voûte étouffait. Elle attendait. Tout d'un coup le temps cessa d'être immobile. Dans sa nuit de velours on détachait sa chaîne. Il y avait trois mois, trois jours qu'elle attendait, ou dix jours, ou dix ans. Elle sentit qu'on l'enveloppait dans une étoffe épaisse, et quelqu'un la prit aux épaules et aux jarrets, la souleva et l'emporta. Elle se retrouva dans sa cellule, couchée sous sa fourrure noire, c'était le début de l'après-midi, elle avait les yeux ouverts, les mains libres, et René assis près d'elle lui caressait les che-

veux. « Il faut te rhabiller, dit-il, nous par-
tons. » Elle prit un dernier bain, il lui brossa
les cheveux, lui tendit sa poudre et son rouge
à lèvres. Quand elle revint dans la cellule,
son tailleur, sa blouse, sa combinaison, ses
bas, ses chaussures étaient sur le pied du lit,
son sac et ses gants aussi. Il y avait même le
manteau qu'elle mettait sur son tailleur
quand il commençait à faire froid, et un
carré de soie pour protéger le cou, mais ni
ceinture, ni slip. Elle s'habilla lentement,
roulant ses bas au-dessus du genou, et sans
mettre sa veste parce qu'il faisait très chaud
dans la cellule. A cet instant, l'homme qui
lui avait expliqué le premier soir ce qui
serait exigé d'elle entra. Il défit le collier
et les bracelets qui depuis deux semaines
la tenaient captive. En fut-elle délivrée ? ou
s'il lui manqua quelque chose ? Elle ne dit
rien, osant à peine passer les mains sur ses
poignets, n'osant pas les porter à son cou.
Il la pria ensuite de choisir, parmi des
bagues toutes semblables qu'il lui présentait
dans un petit coffret de bois, celle qui irait
à son annulaire gauche. C'étaient de curieu-
ses bagues de fer, intérieurement cerclées
d'or, dont le chaton large et lourd, comme

le chaton d'une chevalière mais renflé, portait en nielles d'or le dessin d'une sorte de roue à trois branches, qui chacune se refermait en spirale, semblable à la roue solaire des Celtes. La seconde, en forçant un peu, lui allait exactement. Elle était lourde à sa main, et l'or brillait comme à la dérobée dans le gris mat du fer poli. Pourquoi le fer, pourquoi l'or, et le signe qu'elle ne comprenait pas ? Il n'était pas possible de parler dans cette pièce tendue de rouge où la chaîne était encore au mur au-dessus du lit, où la couverture noire encore défaite traînait par terre, où le valet Pierre pouvait entrer, allait entrer, absurde avec son costume d'opéra dans la lumière ouatée de novembre. Elle se trompait, Pierre n'entra pas. René lui fit mettre la veste de son tailleur, et ses longs gants qui recouvraient le bas des manches. Elle prit son foulard, son sac, et sur le bras son manteau. Les talons de ses chaussures faisaient sur le carreau du couloir moins de bruit que n'en avaient fait ses mules, les portes étaient fermées, l'antichambre était vide. O tenait son amant par la main. L'inconnu qui les accompagnait ouvrit les grilles dont Jeanne avait dit que c'était la clôture, et que ne gardaient plus ni valets ni chiens. Il souleva un des rideaux de velours vert, et les fit passer tous les deux. Le rideau retomba. On entendit la grille se refermer. Ils étaient seuls dans une autre antichambre qui ouvrait sur le parc. Il n'y avait plus qu'à descendre les marches du perron, devant lequel O reconnut la voiture. Elle s'assit près de son amant, qui prit le volant et démarra. Quand ils furent sortis du parc dont la porte cochère était grande ouverte, au bout de quelques centaines de mètres, il arrêta pour l'embrasser. C'était juste avant un village petit et paisible qu'ils traversèrent en repartant. O put lire le nom sur la plaque indicatrice : Roissy.

II

SIR STEPHEN

L'appartement qu'O habitait était situé dans l'île Saint-Louis, sous les combles d'une vieille maison qui donnait au sud et regardait la Seine. Les pièces étaient mansardées, larges et basses, et celles qui étaient en façade, il y en avait deux, ouvraient chacune sur des balcons ménagés dans la pente du toit. L'une d'elles était la chambre d'O, l'autre, où du sol au plafond, sur une paroi des rayons de livres encadraient la cheminée, servait de salon, de bureau, et même de chambre si l'on voulait : elle avait un grand divan face à ses deux fenêtres, et face à la cheminée une grande table ancienne. On y dînait aussi quand la toute petite salle à manger tendue de serge vert foncé, sur la cour intérieure, était vraiment trop petite pour les convives. Une autre chambre, sur la cour aussi, servait à René qui y rangeait ses vêtements, et s'y habillait. O partageait avec lui sa salle de bains jaune ; la cuisine, jaune aussi, était minuscule. Une femme de ménage venait tous les jours. Les pièces sur cour étaient carrelées de rouge, de ces carreaux anciens à six pans, qui recouvrent dès qu'on dépasse le second étage les marches et les paliers des vieux hôtels à Paris. O les revoyant eut un choc au cœur : c'étaient les mêmes carreaux que ceux des corridors de Roissy. Sa chambre était petite, les rideaux de chintz rose et noir étaient fermés, le feu brillait derrière la toile métallique du pare-feu, le lit était prêt, la couverture faite.

« Je t'ai acheté une chemise de nylon, dit René, tu n'en avais pas encore. » En effet, une chemise de nylon blanc, plissé, serré et fin comme les vêtements des statuettes égyptiennes, et presque transparent, était dépliée au bord du lit, sur le côté où se couchait O. On la serrait à la taille avec une fine ceinture par-dessus une bande de piqûres élastiques, et le jersey de nylon était si léger que la saillie des seins le colorait en rose. Tout, à l'exception des rideaux, et du panneau tendu de même étoffe contre lequel s'appuyait la tête du lit, et de deux petits fauteuils bas recouverts du même chintz, tout était blanc dans cette chambre : les murs, la courtepointe du lit aux quenouilles d'acajou, et les peaux d'ours par terre. Ce fut assise devant le feu, dans sa chemise blanche, qu'O écouta son amant. Il lui dit tout d'abord qu'il ne fallait pas qu'elle se crût libre désormais. A cela près qu'elle était libre de ne plus l'aimer, et de le quitter aussitôt. Mais si elle l'aimait, elle n'était libre de rien. Elle l'écoutait sans mot dire, songeant qu'elle était bien heureuse qu'il voulût se prouver, peu importe comment, qu'elle lui appartenait, et aussi qu'il n'était pas sans naïveté, de ne pas se rendre compte que cette appartenance était au-delà de toute épreuve. Mais peut-être qu'il s'en rendait compte, et ne voulait le mar-

quer que parce qu'il y prenait plaisir ? Elle
regardait le feu pendant qu'il parlait, mais
lui non, n'osant pas rencontrer son regard.
Lui était debout, et marchait de long en
large. Soudain il lui dit que tout d'abord il
voulait que pour l'écouter elle desserrât les
genoux, et dénouât les bras ; car elle était
assise les genoux joints et les bras noués
autour des genoux. Elle releva donc sa
chemise, et à genoux, mais assise sur ses
talons, comme sont les carmélites ou les
Japonaises, elle attendit. Seulement, comme
ses genoux étaient écartés, elle sentait,
entre ses cuisses entrouvertes, le léger pico-
tement aigu de la fourrure blanche ; il
insista : elle n'ouvrait pas assez les jambes.
Le mot « ouvre » et l'expression « ouvre
les jambes » se chargeaient dans la bouche de son amant de tant de trouble et
de pouvoir qu'elle ne les entendait jamais
sans une sorte de prosternation intérieure,
de soumission sacrée, comme si un dieu, et
non lui, avait parlé. Elle demeura donc
immobile, et ses mains reposaient, paumes
en l'air, de chaque côté de ses genoux, entre
lesquels le jersey de sa chemise étalée autour
d'elle reformait ses plis. Ce que son amant

voulait d'elle était simple : qu'elle fût constamment et immédiatement accessible. Il ne
lui suffisait pas de savoir qu'elle l'était : il
fallait qu'elle le fût sans le moindre obstacle,
et que sa façon de se tenir d'abord, et ses
vêtements ensuite en donnassent pour ainsi
dire le symbole à des yeux avertis. Cela
voulait dire, poursuivit-il, deux choses. La
première, qu'elle savait, et dont elle avait
été prévenue le soir de son arrivée au château : les genoux qu'elle ne devait jamais
croiser, les lèvres qui devaient rester
entrouvertes. Elle croyait sans doute que ce
n'était rien (elle le croyait en effet), elle
s'apercevrait au contraire qu'il lui faudrait
pour se conformer à cette discipline un
constant effort d'attention, qui lui rappelle-
rait, dans le secret partagé entre elle et lui,
et quelques autres peut-être, mais au milieu
d'occupations ordinaires et parmi tous ceux
qui ne le partageraient pas, la réalité de sa
condition. Quant à ses vêtements, à elle de
s'arranger pour les choisir ou au besoin les
inventer de telle façon que ce demi-déshabil-
lage auquel il l'avait soumise dans la voiture
qui l'emmenait à Roissy ne fût plus nécessaire : demain elle ferait le tri, dans ses

armoires, de ses robes, dans ses tiroirs, de ses sous-vêtements, elle lui remettrait absolument tout ce qu'elle y trouverait de ceintures et de slips ; de même les soutiens-gorge pareils à celui dont il avait dû couper les bretelles pour le lui enlever, les combinaisons dont le haut lui couvrait les seins, les blouses et les robes qui ne s'ouvraient pas par-devant, les jupes trop étroites pour se relever d'un seul geste. Qu'elle se fasse faire d'autres soutiens-gorge, d'autres blouses, d'autres robes. D'ici là elle irait chez sa corsetière les seins nus sous sa blouse ou sous son chandail ? Eh bien, elle irait les seins nus. Si quelqu'un s'en apercevait, elle l'expliquerait comme elle voudrait, ou ne l'expliquerait pas, à son gré, cela ne regardait qu'elle. Maintenant, pour le reste de ce qu'il avait à lui apprendre, il désirait attendre quelques jours, et voulait que pour l'entendre elle fût vêtue comme elle devait l'être. Elle trouverait dans le petit tiroir de son secrétaire tout l'argent qu'il lui faudrait. Lorsqu'il eut fini de parler, elle murmura « je t'aime » sans le moindre geste. C'est lui qui remit du bois sur le feu, alluma la lampe de chevet, qui était d'opaline rose.

Il dit alors à O de se coucher, et de l'attendre, et qu'il dormirait avec elle. Quand il fut revenu, O allongea la main pour éteindre la lampe : c'était la main gauche, et la dernière chose qu'elle vit avant que l'ombre n'effaçât tout, fut l'éclat sombre de sa bague de fer. Elle était à demi couchée sur le flanc : au même instant son amant l'appelait à voix basse par son nom, et la prenait à pleine main au creux du ventre, l'attirait vers lui.

Le lendemain, O venait de finir de déjeuner, seule, en robe de chambre, dans la salle à manger verte — René était parti de bonne heure et ne devait revenir que le soir pour l'emmener dîner — lorsque le téléphone sonna. L'appareil était dans la chambre au chevet du lit, sous la lampe. O s'assit par terre pour décrocher. C'était René, qui voulait savoir si la femme de ménage était partie. Oui, elle venait de s'en aller, après avoir servi le déjeuner, et ne reviendrait que le lendemain matin. « As-tu commencé le tri de tes vêtements ? dit René. — J'allais commencer, répondit-elle, mais je me suis levée très tard, j'ai pris un bain, et je n'ai été prête que pour midi. — Tu es habillée ?

— Non, j'ai ma chemise de nuit et ma robe de chambre. — Pose l'appareil, enlève ta robe de chambre et ta chemise. » O obéit, si saisie que l'appareil glissa du lit où elle le posait sur le tapis blanc, et qu'elle crut avoir coupé la communication. Non, ce n'était pas coupé. « Tu es nue ? reprit René. — Oui, dit-elle, mais d'où m'appelles-tu ? » Il ne répondit pas à sa question, ajouta seulement : « Tu as gardé ta bague ? » Elle avait gardé sa bague. Alors il lui dit de rester comme elle était jusqu'à ce qu'il revînt et de préparer ainsi la valise des vêtements dont elle devait se débarrasser. Puis il raccrocha. Il était une heure passée, et le temps était beau. Un peu de soleil éclairait, sur le tapis, la chemise blanche et la robe de velours côtelé, vert pâle comme les coques d'amandes fraîches, qu'O les enlevant avait laissé glisser. Elle les ramassa et alla les porter dans la salle de bains, pour les ranger dans un placard. Au passage, une des glaces fixées sur une porte, et qui formait avec un pan de mur et une autre porte également recouverte de glaces, un grand miroir à trois faces, lui renvoya brusquement son image : elle

n'avait sur elle que ses mules de cuir du
même vert que sa robe de chambre — à
peine plus foncé que les mules qu'elle
portait à Roissy — et sa bague. Elle n'avait
plus ni collier ni bracelets de cuir, et elle
était seule, n'ayant qu'elle-même pour spec-
tateur. Jamais cependant elle ne se sentit
plus totalement livrée à une volonté qui
n'était pas la sienne, plus totalement esclave,
plus heureuse de l'être. Quand elle se bais-
sait pour ouvrir un tiroir, elle voyait ses
seins bouger doucement. Elle mit près de
deux heures à disposer sur son lit les vêtements qu'il lui faudrait ensuite ranger dans
la valise. Pour les slips, cela allait de soi, elle
en fit une petite pile près d'une des colon-
nettes. Pour ses soutiens-gorge aussi, pas
un qui restât : tous se croisaient dans le
dos, et se fixaient sur le côté. Elle vit
cependant de quelle façon elle pourrait faire
exécuter le même modèle, en ménageant la
fermeture au milieu du devant, juste sous le
creux des seins. Les ceintures ne firent pas
davantage de difficultés, mais elle hésita à
y joindre la guêpière de satin rose broché,
qui se laçait dans le dos et ressemblait tant
au corset qu'elle portait à Roissy. Elle la

mit à part, sur sa commode. René déciderait. Il déciderait aussi pour les chandails, qui tous s'entraient par la tête, et étaient serrés au ras du cou, donc ne s'ouvraient pas. Mais on pouvait les remonter, à partir de la taille, et dégager ainsi les seins. Toutes les combinaisons, par contre, s'entassèrent sur son lit. Il resta dans le tiroir de la commode un jupon de faille noire bordé d'un volant plissé et de petites valenciennes, qui servait de dessous à une jupe plissée soleil, en lainage noir trop léger pour n'être pas transparent. Il lui faudrait d'autres jupons, clairs et courts. Elle s'aperçut qu'il lui faudrait aussi, ou bien renoncer à porter des robes droites, ou bien choisir des modèles de robes-manteaux bontonnées de haut en bas, et faire faire alors un dessous qui s'ouvrît en même temps que la robe elle-même. Pour les jupons, c'était facile, pour les robes aussi, mais pour les dessous de robes, que dirait sa lingère ? Elle lui expliquerait qu'elle voulait une doublure amovible, parce qu'elle était frileuse. Il est vrai aussi qu'elle était frileuse, et elle se demanda soudain comment elle supporterait, si mal protégée, le froid dehors l'hiver. Enfin lors-

qu'elle eut fini, et n'eut sauvé de sa garde-
robe que ses chemisiers qui tous se bouton-
naient par-devant, sa jupe plissée noire, ses
manteaux bien entendu, et le tailleur avec
lequel elle était revenue de Roissy, elle alla
préparer du thé. Dans la cuisine, elle
remonta le thermostat de chauffage ; la
femme de ménage n'avait pas empli le panier
de bois pour le feu dans le salon, et O
savait que son amant aimerait la retrouver
le soir dans le salon, auprès du feu. Elle
emplit le panier au coffre du corridor, le
porta près de la cheminée du salon, et alluma. Ainsi attendit-elle, pelotonnée dans
un grand fauteuil, le plateau à thé près
d'elle qu'il rentrât, mais cette fois elle
l'attendit, comme il le lui avait ordonné,
nue.

La première difficulté que rencontra O
fut dans son métier. Difficulté est beaucoup
dire. Etonnement serait plus juste. O travaillait dans le service de mode d'une agence
photographique. Ce qui voulait dire qu'elle
exécutait, dans le studio où elles devaient
poser durant des heures, les photos des

filles les plus étranges et les plus jolies, choisies par les couturiers pour parer leurs modèles. On s'étonna qu'O eût prolongé ses vacances si tard dans l'automne, et se fût ainsi absentée justement à l'époque où l'activité était la plus grande, quand la mode nouvelle allait sortir. Mais ce n'était encore rien. On s'étonna surtout qu'elle fût si changée. Au premier regard, on ne savait trop dire en quoi, mais on le sentait cependant, et plus on l'observait, plus on en était convaincu. Elle se tenait plus droite, elle avait le regard plus clair, mais ce qui frappait surtout était la perfection de son immobilité, et la mesure de ses gestes. Elle avait toujours été vêtue sobrement, comme sont les filles qui travaillent, quand leur travail ressemble au travail des hommes, mais, si adroitement qu'elle s'y prît, et du fait que les autres filles, qui constituaient l'objet même de son travail, avaient pour occupation et pour vocation les vêtements et les parures, elles eurent vite fait de remarquer ce qui serait passé inaperçu à d'autres yeux que les leurs. Les chandails portés à même la peau, et qui dessinaient si doucement les seins — René avait finalement permis les

chandails —, les jupes plissées qui si facilement tourbillonnaient, prenaient un peu
l'allure d'un discret uniforme, tellement O
les portait souvent. « Très jeune fille », lui
dit un jour, d'un air narquois, un mannequin blond aux yeux verts, qui avait les
pommettes hautes des Slaves et leur teint
bis. « Mais, ajouta-t-elle, les jarretières, vous
avez tort, vous allez vous abîmer les jambes. » C'est qu'O devant elle, et sans y prendre garde, s'était assise un peu vite, et de
biais, sur le bras d'un grand fauteuil de
cuir ; son geste avait fait envoler sa jupe.
La grande fille avait aperçu l'éclair de la
cuisse nue au-dessus du bas roulé, qui couvrait le genou, mais s'arrêtait aussitôt. O
l'avait vue sourire, si curieusement qu'elle
se demandait ce qu'elle avait imaginé sur
l'instant, ou peut-être compris. Elle tira ses
bas, l'un après l'autre, pour les tendre
davantage, ce qui était plus difficile que
lorsqu'ils montaient jusqu'à mi-cuisses, et
étaient tenus par des jarretelles, et répondit comme pour se justifier, à Jacqueline : « C'est pratique. — Pratique pour
quoi ? dit Jacqueline. — Je n'aime pas les
ceintures », répondit O. Mais Jacqueline

ne l'écoutait pas et regardait la bague de fer.

De Jacqueline, en quelques jours, O fit une cinquantaine de clichés. Ils ne ressemblaient à aucun de ceux qu'elle avait faits auparavant. Jamais, peut-être, elle n'avait eu pareil modèle. En tout cas, jamais elle n'avait su tirer d'un visage ou d'un corps une aussi émouvante signification. Il ne s'agissait pourtant que de rendre plus belles les soies, les fourrures, les dentelles, par la beauté soudaine de fée surprise au miroir que prenait Jacqueline sous la plus simple blouse, comme sous le plus somptueux vison. Elle avait les cheveux courts, épais et blonds, à peine ondés, au moindre mot penchait un peu la tête vers son épaule gauche et appuyait la joue contre le col relevé de sa fourrure, si elle portait alors une fourrure. O la saisit une fois ainsi, souriante et tendre, les cheveux légèrement soulevés comme par un peu de vent, et sa douce et dure pommette appuyée sur du vison bleu, gris et doux comme la cendre fraîche du feu de bois. Elle entrouvrait les lèvres et fermait à demi les yeux. Sous l'eau brillante et glacée de la photo, on aurait dit une noyée bienheureuse, pâle, si pâle. O avait fait tirer l'épreuve dans le plus léger ton de gris. Elle avait fait une autre photo de Jacqueline qui la bouleversait encore davantage : à contre-jour, les épaules nues, sa fine petite tête serrée tout entière, et le visage aussi dans une voilette noire à larges mailles, et sommée d'une absurde aigrette double, dont les brins impalpables la couronnaient comme une fumée ; elle portait une immense robe de soie épaisse et brochée, rouge comme une robe de mariée du Moyen Age, qui la couvrait jusqu'aux pieds, s'épanouissait aux hanches, la serrait à la taille, et dont l'armature dessinait la poitrine. C'était ce que les couturiers appellent une robe de gala, et que personne ne porte jamais. Les sandales à talons très hauts étaient aussi de soie rouge. Et tout le temps que Jacqueline fut devant O avec cette robe, et ces sandales, et cette voilette qui était comme la prémonition d'un masque, O complétait en elle-même, modifiait en elle-même le modèle : si peu de chose — la taille serrée davantage, les seins davantage offerts — et c'était la même robe qu'à Roissy, la même robe que portait Jeanne, la même soie épaisse, lisse, cassante, la soie qu'on soulève à pleines mains quand on vous dit... Et oui, Jacqueline à pleines mains la soulevait, pour descendre de la plate-forme où depuis un quart d'heure elle posait. C'était le même bruissement, le même craquement de feuilles sèches. Personne ne porte ces robes de gala ? Ah ! si. Jacqueline avait aussi, au cou, un collier d'or serré, aux poignets, deux bracelets d'or. O se surprit à penser qu'elle serait plus belle avec un collier, avec des bracelets de cuir. Et cette fois-là, ce qu'elle n'avait jamais fait, elle suivit Jacqueline dans la grande loge attenant au studio, où les modèles s'habillaient et se maquillaient, et laissaient leurs vêtements et leurs fards de travail quand elles partaient. Elle resta debout contre le chambranle de la porte, les yeux fixés sur le miroir de la coiffeuse devant lequel Jacqueline s'était assise sans avoir quitté sa robe. Le miroir était si grand — il tenait le fond du mur, et la coiffeuse était une simple tablette de verre noir — qu'elle voyait à la fois Jacqueline et sa propre image, et l'image de l'habilleuse, qui défaisait les aigrettes et le réseau de tulle. Jacqueline détacha elle-même le collier, ses

bras nus levés comme deux anses ; un peu
de sueur brillait sous ses aisselles, qui
étaient épilées (pourquoi ? se dit O, quel
dommage, elle est si blonde) et O en sentit
l'odeur âpre et fine, un peu végétale, et se
demanda quel parfum devrait porter Jacqueline — quel parfum on ferait porter à
Jacqueline. Puis Jacqueline défit ses bracelets, les posa sur la tablette de verre, où
ils firent une seconde comme un cliquetis
de chaînes. Elle était si claire de cheveux
que sa peau était plus foncée que ses cheveux, bise et beige comme du sable fin
quand la marée vient juste de se retirer.
Sur la photo, la soie rouge serait noire.
Juste à ce moment-là, les cils épais, que
Jacqueline ne fardait qu'à contrecœur, se
levèrent, et O rencontra dans le miroir son
regard si droit, si immobile que sans pouvoir en détacher le sien elle se sentit lentement rougir. Ce fut tout. « Je vous demande
pardon, dit Jacqueline, il faut que je me
déshabille. » « Pardon », murmura O, et elle
referma la porte. Le lendemain elle emporta
chez elle les épreuves des clichés exécutés
la veille, sans savoir si elle désirait, ou ne
désirait pas, les montrer à son amant, avec

qui elle devait dîner dehors. Tout en se fardant, devant la coiffeuse de sa chambre, elle les regardait, et s'interrompait pour suivre du doigt, sur la photo, la ligne d'un sourcil, le dessin d'un sourire. Mais quand elle entendit le bruit de la clef dans la serrure de la porte d'entrée, elle les glissa dans le tiroir.

O était, depuis deux semaines, entièrement équipée, et ne s'habituait pas à l'être, lorsquelle trouva un soir en revenant du studio un mot de son amant qui la priait d'être prête à huit heures pour venir dîner avec lui et avec un de ses amis. Une voiture passerait la prendre, le chauffeur monterait la chercher. Le post-scriptum précisait qu'elle prît sa veste de fourrure, s'habillât entièrement en noir (entièrement était souligné) et eût soin de se farder et de se parfumer comme à Roissy. Il était six heures. Entièrement en noir, et pour dîner — et c'était la mi-décembre, il faisait froid, cela voulait dire bas de nylon noir, gants noirs, et avec sa jupe plissée en éventail, un épais chandail pailleté, ou son pourpoint de faille. Elle choisit le pourpoint de faille. Il était ouaté et matelassé à larges piqûres, ajusté et

agrafé du col à la taille comme les stricts
pourpoints des hommes au seizième siècle,
et s'il dessinait si parfaitement la poitrine,
c'était que le soutien-gorge y était intérieurement fixé. Il était doublé de même faille, et
ses basques découpées s'arrêtaient aux hanches. Seules l'éclairaient les grandes agrafes
dorées, apparentes comme celles qu'on voit
aux chaussons de neige des enfants : qui
s'ouvrent et se referment avec bruit, sur de
larges anneaux plats. Rien ne parut plus
étrange à O, une fois qu'elle eut disposé
ses vêtements sur son lit, et au pied de son
lit ses escarpins de daim noir, à fin talon en
aiguille, que de se voir, libre et seule dans
sa salle de bains, soigneusement occupée,
une fois baignée, à se farder, à se parfumer,
comme à Roissy. Les fards qu'elle possédait
n'étaient pas ceux qu'on utilisait là-bas. Elle
trouva, dans le tiroir de sa coiffeuse, du
rouge gras pour les joues — elle ne s'en
servait jamais — dont elle souligna l'aréole
de ses seins. C'était un rouge qu'on voyait à
peine au moment qu'on l'appliquait, mais
qui fonçait ensuite. Elle crut d'abord en
avoir trop mis, l'effaça un peu à l'alcool —
il s'effaçait très mal — et recommença :

un sombre rose pivoine fleurit la pointe de ses seins. Vainement voulut-elle s'en farder les lèvres que cachait la toison de son ventre, sur elles il ne marquait pas. Elle trouva enfin, parmi les tubes de rouge à lèvres qu'elle avait dans le même tiroir, un de ces rouges-baiser dont elle n'aimait pas se servir parce qu'ils étaient trop secs, et marquaient sa bouche trop longtemps. Là, il convenait. Elle apprêta ses cheveux, son visage, enfin se parfuma. René lui avait donné, dans un vaporisateur qui le projetait en brume épaisse, un parfum dont elle ignorait le nom, mais qui avait des odeurs de bois sec et de plantes des marécages, âpres et un peu sauvages. Sur sa peau, la brume fondait et coulait, sur la fourrure des aisselles et du ventre, se fixait en gouttelettes minuscules. O avait appris à Roissy la lenteur : elle se parfuma trois fois, laissant à chaque fois le parfum sécher sur elle. Elle mit d'abord ses bas et ses hautes chaussures, puis le dessous de jupe et la jupe, puis le pourpoint. Elle mit ses gants, prit son sac. Dans le sac il y avait sa boîte à poudre, son tube de rouge, un peigne, sa clef, mille francs. Toute gantée, elle sortit de l'armoire sa fourrure, et regarda l'heure au chevet de son lit : il était huit heures moins un quart. Elle s'assit de biais au bord du lit, et les yeux fixés sur le réveil, attendit sans bouger le coup de sonnette. Quand elle l'entendit enfin et se leva pour partir, elle aperçut dans la glace de la coiffeuse, avant d'éteindre la lumière, son regard hardi, doux et docile.

Lorsqu'elle poussa la porte du petit restaurant italien devant lequel la voiture l'avait arrêtée, la première personne qu'elle aperçut, au bar, fut René. Il lui sourit avec tendresse, lui prit la main, et se tournant vers une sorte d'athlète à cheveux gris, lui présenta, en anglais, Sir Stephen H. On offrit à O un tabouret entre les deux hommes, et comme elle allait s'asseoir, René lui dit à mi-voix de prendre garde de ne pas froisser sa robe. Il l'aida à glisser sa jupe en dehors du tabouret, dont elle sentit le cuir froid sous sa peau et le rebord gainé de métal au creux même de ses cuisses, car elle n'osa d'abord s'asseoir qu'à demi, de crainte si elle s'asseyait d'aplomb de céder à la tentation de croiser un genou sur l'autre. Sa jupe s'étalait autour d'elle. Son talon droit était accroché à l'un des barreaux du tabouret, la pointe de son pied gauche touchait terre. L'Anglais, qui s'était sans mot dire incliné devant elle, ne l'avait pas quittée des yeux ; elle s'aperçut qu'il regardait ses genoux, ses mains et enfin ses lèvres mais si tranquillement, et avec une attention si précise et si sûre d'elle-même qu'O se sentit pesée et jaugée pour l'instrument qu'elle savait bien qu'elle était, et ce fut comme forcée par son regard et pour ainsi dire malgré elle qu'elle retira ses gants : elle savait qu'il allait parler quand elle aurait les mains nues — parce que ses mains étaient singulières, et ressemblaient aux mains d'un jeune garçon plutôt qu'aux mains d'une femme, et parce qu'elle portait à l'annulaire gauche la bague de fer à triple spirale d'or. Mais non, il ne dit rien, il sourit : il avait vu la bague. René buvait un Martini, Sir Stephen du whisky. Il finit lentement son whisky, puis attendit que René eût bu son second Martini et O le jus de pamplemousse que René avait commandé pour elle, tout en expliquant que si O voulait bien lui faire le plaisir d'être de leur avis à tous deux, on pourrait dîner dans la salle du sous-sol, qui était plus petite et plus tranquille que celle qui, au rez-de-chaussée, prolongeait le bar. « Sûrement », dit O qui prenait déjà sur le bar le sac et les gants qu'elle y avait posés. Alors, pour l'aider à quitter son tabouret, Sir Stephen lui tendit la main droite, dans laquelle elle posa la sienne, et lui adressant enfin directement la parole, ce fut pour remarquer qu'elle avait des mains faites pour porter des fers, tant le fer lui allait bien. Mais comme il le disait en anglais, il y avait une légère équivoque dans les termes, et l'on pouvait hésiter à comprendre s'il s'agissait seulement du métal, ou s'il ne s'agissait pas aussi, et même surtout, de chaînes. Dans la salle du sous-sol, qui était une simple cave crépie à la chaux mais fraîche et gaie, il n'y avait en effet que quatre tables, dont une seule était occupée par des convives dont le repas touchait à sa fin. Sur les murs on avait dessiné, comme à la fresque, une carte d'Italie gastronomi-que et touristique, de couleurs tendres comme celles des glaces à la vanille, à la framboise, à la pistache ; cela fit penser à O qu'elle demanderait une glace à la fin du dîner, avec des pralines pilées et de la crème fraîche. Car elle se sentait heureuse et légère, le genou de René touchait sous la table son genou, et lorsqu'il parlait, elle savait qu'il parlait pour elle. Lui aussi regardait ses lèvres. On lui permit la glace, mais non le café. Sir Stephen pria O et René d'accepter le café chez lui. Tous avaient dîné très légèrement, et O s'était rendu compte qu'ils avaient pris garde de ne presque pas boire, et de la laisser boire moins encore : une demi-carafe de Chianti à eux trois. Ils avaient aussi dîné vite : il était à peine neuf heures. « J'ai renvoyé le chauffeur, dit Sir Stephen, voulez-vous conduire, René, le plus simple est d'aller directement chez moi. » René prit le volant, O s'assit près de lui, Sir Stephen près d'elle. La voiture était une grosse Buick, on tenait facilement à trois sur la banquette avant.

Après l'Alma, le Cours-la-Reine était clair parce que les arbres étaient sans feuilles, et la place de la Concorde scintillante et sèche, avec au-dessus le ciel sombre des temps où la neige s'amasse et ne se décide pas à tomber. O entendit un petit déclic, et sentit l'air chaud monter le long de ses jambes : Sir

Stephen avait mis le chauffage. René suivit
encore la Seine sur la rive droite, puis
tourna au Pont-Royal pour gagner la rive
gauche : entre ses carcans de pierre, l'eau
avait l'air figée comme de pierre aussi, et
noire. O songea aux hématites, qui sont
noires. Quand elle avait quinze ans, sa meil-
leure amie, qui en avait trente, et dont elle
était amoureuse, portait en bague une héma-
tite, sertie de tout petits diamants. O aurait
voulu un collier de ces pierres noires, et sans
diamants, un collier au ras du cou, qui, sait,
serré au cou. Mais les colliers qu'on lui donnait maintenant — non, on ne les lui donnait pas — les aurait-elle échangés pour le
collier d'hématites, pour les hématites du
rêve ? Elle revit la chambre misérable où
Marion l'avait emmenée, derrière le carre-
four Turbigo, et comment elle avait défait,
elle, non pas Marion, ses deux larges nattes
d'écolière, quand Marion l'avait déshabillée,
et couchée sur le lit de fer. Elle était belle
Marion quand on la caressait, et c'est vrai
que des yeux peuvent avoir l'air d'étoiles ;
les siens ressemblaient à des étoiles bleues
frémissantes. René arrêtait la voiture. O ne
reconnut pas la petite rue, une de celles qui

joignaient transversalement la rue de l'Université à la rue de Lille.

L'appartement de Sir Stephen était situé au fond d'une cour, dans l'aile d'un hôtel ancien, et les pièces se commandaient en enfilade. Celle qui était au bout des autres était aussi la plus grande, et la plus reposante, meublée à l'anglaise d'acajou sombre et de soieries pâles, jaunes et grises. « Je ne vous demande pas de vous occuper du feu, dit Sir Stephen à O, mais ce canapé est pour vous. Asseyez-vous, voulez-vous, René fera le café, je voudrais seulement vous prier de m'entendre. » Le grand canapé de damas clair était placé perpendiculairement à la cheminée, face aux fenêtres qui donnaient sur un jardin, et le dos à celles qui, vis-à-vis des premières, donnaient sur la cour. O enleva sa fourrure et la posa sur le dossier du sofa. Elle s'aperçut, lorsqu'elle se retourna, que son amant et son hôte attendaient debout, qu'elle obéît à l'invitation de Sir Stephen. Elle posa son sac contre sa fourrure, défit ses gants. Quand, quand saurait-elle enfin, et saurait-elle jamais trouver pour soulever ses jupes au moment de s'asseoir un geste assez furtif pour que personne ne l'aperçût, et qu'elle-même pût oublier sa nudité, sa soumission ? Ce ne serait pas, en tout cas, tant que René et cet étranger la regarderaient en silence, comme ils faisaient. Elle céda enfin, Sir Stephen ranima le feu, René soudain passa derrière le sofa, et saisissant O par le cou et par les cheveux, lui renversa la tête contre le dossier et lui baisa la bouche, si longuement et si profond qu'elle perdait le souffle et sentait son ventre fondre et brûler. Il ne la quitta que pour lui dire qu'il l'aimait, et la reprit aussitôt. Les mains d'O, défaites et renversées, abandonnées la paume en l'air, reposaient sur sa robe noire qui s'étalait en corolle autour d'elle ; Sir Stephen s'était approché, et lorsque René la laissa enfin tout à fait, et qu'elle rouvrit les yeux, ce fut le regard gris et droit de l'Anglais qu'elle rencontra. Tout étourdie qu'elle fût et haletante de bonheur, elle n'eut cependant pas de peine à y voir qu'il l'admirait, et qu'il la désirait. Qui aurait résisté à sa bouche humide et entrouverte, à ses lèvres gonflées, à son cou blanc renversé sur le col noir de son pourpoint de page, à ses yeux plus grands et plus clairs, et qui ne fuyaient pas ?

Mais le seul geste que se permit Sir Stephen fut de caresser doucement du doigt ses sourcils, puis ses lèvres. Ensuite, il s'assit en face d'elle, de l'autre côté de la cheminée, et quand René eut pris aussi un fauteuil, il parla. « Je crois, dit-il, que René ne vous a jamais parlé de sa famille. Peut-être savez-vous cependant que sa mère, avant d'épouser son père, avait été mariée avec un Anglais, qui lui-même avait un fils d'un premier mariage. Je suis ce fils, et j'ai été élevé par elle, jusqu'au jour où elle a abandonné mon père. Je n'ai donc avec René aucune parenté, et pourtant, en quelque sorte, nous sommes frères. Que René vous aime, je le sais. Je l'aurais vu, sans qu'il me l'eût dit, et même sans qu'il eût bougé : il suffit de le voir vous regarder. Je sais aussi que vous êtes de celles qui ont été à Roissy, et j'imagine que vous y retournerez. En principe, la bague que vous portez me donne le droit de disposer de vous, comme elle le donne à tous ceux qui en connaissent le sens. Mais il ne s'agit alors que d'un engagement passager, et ce que nous attendons de vous est plus grave. Je dis nous, parce que vous voyez que René se tait : il veut que je vous parle pour

lui et pour moi. Si nous sommes frères, je
suis l'aîné, de dix ans plus âgé que lui. Il y
a aussi entre nous une liberté si ancienne et
si absolue que ce qui m'appartient a de tout
temps été à lui, et ce qui lui appartient à
moi. Voulez-vous consentir à y participer ?
Je vous en prie, et vous demande votre aveu
parce qu'il vous engagera plus que votre
soumission, dont je sais qu'elle est acquise.
Considérez avant de me répondre que je
suis seulement, et ne peut être qu'une autre
forme de votre amant : vous n'aurez toujours qu'un maître. Plus redoutable, je le
veux bien, que les hommes à qui vous avez
été livrée à Roissy, parce que je serai là tous
les jours, et qu'en outre, j'ai le goût de
l'habitude et du rite. (And besides, I am
fond of habits and rites...) »

La voix calme et posée de Sir Stephen
s'élevait dans un silence absolu. Les flammes
mêmes, dans la cheminée, éclairaient sans
bruit. O était fixée sur le sofa comme un
papillon par une épingle, une longue épingle faite de paroles et de regards qui transperçait le milieu de son corps et appuyait
ses reins nus et attentifs sur la soie tiède.
Elle ne savait où étaient ses seins, ni sa

nuque, ni ses mains. Mais que les habitudes et les rites dont on lui parlait dussent avoir pour objet la possession, entre autres parties de son corps, de ses longues cuisses cachées sous la jupe noire, et d'avance entrouvertes, elle n'en doutait pas. Les deux hommes lui faisaient face. René fumait, mais avait allumé près de lui une de ces lampes à capuchon noir qui dévorent la fumée, et l'air, déjà purifié par le feu de bois, sentait le frais de la nuit. « Me répondrez-vous, ou voulez-vous en savoir davantage ? dit encore Sir Stephen. — Si tu acceptes, dit René, je t'expliquerai moi-même les préférences de Sir Stephen. — Les exigences », corrigea Sir Stephen. Le plus difficile, se disait O, n'était pas d'accepter, et elle se rendait compte que l'un et l'autre n'envisageaient pas une seconde, non plus qu'elle-même, qu'elle pût refuser. Le plus difficile était simplement de parler. Elle avait les lèvres brûlantes et la bouche sèche, la salive lui manquait, une angoisse de peur et de désir lui serrait la gorge, et ses mains retrouvées étaient froides et moites. Si au moins elle avait pu fermer les yeux. Mais non. Deux regards pourchassaient le sien, auxquels elle ne pouvait — ni ne voulait — échapper. Ils la tiraient, vers ce qu'elle croyait avoir laissé pour longtemps, peut-être pour toujours, à Roissy. Car depuis, son retour, René ne l'avait prise que par des caresses, et le symbole de son appartenance à tous ceux qui connaissaient le secret de sa bague avait été sans conséquence ; ou bien elle n'avait rencontré personne qui l'eût connu, ou bien ceux qui l'avaient compris s'étaient tus — la seule personne qu'elle soupçonnât était Jacqueline (et si Jacqueline avait été à Roissy, pourquoi ne portait-elle pas, elle aussi, la bague ? En outre, quel droit donnait sur elle à Jacqueline la participation à ce secret, et lui donnait-elle aucun droit ?) Pour parler, fallait-il bouger ? Mais elle ne pouvait pas bouger de son propre gré — un ordre l'aurait fait se lever à l'instant, mais cette fois-ci, ce qu'ils voulaient d'elle n'était pas qu'elle obéît à un ordre, c'était qu'elle vînt au-devant des ordres, qu'elle se jugeât elle-même esclave, et se livrât pour telle. Voilà ce qu'ils appelaient son aveu. Elle se souvint qu'elle n'avait jamais dit à René autre chose que « je t'aime », et « je suis à toi ». Il semblait aujourd'hui qu'on voulût qu'elle parlât, et acceptât en détail et avec précision ce que son silence seul avait jusqu'ici accepté. Elle finit par se redresser, et comme si ce qu'elle avait à dire l'étouffait, défit les premières agrafes de sa tunique, jusqu'au sillon des seins. Puis elle se mit debout tout à fait. Ses genoux et ses mains tremblaient. « Je suis à toi, dit-elle enfin à René, je serai ce que tu voudras que je sois. — Non, reprit-il, à nous ; répète après moi : Je suis à vous, je serai ce que vous voudrez que je sois. » Les yeux gris et durs de Sir Stephen ne la quittaient pas, ni ceux de René, où elle se perdait, répétant lentement après lui les phrases qu'il lui dictait, mais en les transposant à la première personne, comme dans un exercice de grammaire. « Tu reconnais à moi et à Sir Stephen le droit... » disait René, et O reprenait aussi clairement qu'elle pouvait : « Je reconnais à toi et à Sir Stephen le droit... » Le droit de disposer de son corps à leur gré, en quelque lieu et de quelque manière qu'il leur plût, le droit de la tenir enchaînée, le droit de la fouetter comme une esclave ou comme une condamnée pour la moindre faute ou pour leur plaisir, le droit de ne pas tenir compte de ses suppli-

cations ni de ses cris, s'ils la faisaient crier.
« Il me semble, dit René, que c'est ici que
Sir Stephen voulait te tenir de moi, et de
toi-même, et qu'il désire que je te donne le
détail de ses exigences. » O écoutait son
amant, et les paroles qu'il lui avait dites à
Roissy lui revenaient en mémoire : c'étaient
presque les mêmes paroles. Mais alors elle
les avait écoutées serrée contre lui, protégée
par une invraisemblance qui tenait du rêve,
par le sentiment qu'elle existait dans une
autre vie, et peut-être qu'elle n'existait pas.
Rêve ou cauchemar, décors de prison, robes
de gala, personnages masqués, tout l'éloignait de sa propre vie, et jusqu'à l'incerti-
tude de la durée. Elle se sentait là-bas
comme on est dans la nuit, au cœur d'un
rêve que l'on reconnaît, et qui recommence :
sûre qu'il existe, et sûre qu'il va prendre
fin, et on voudrait qu'il prît fin parce qu'on
craint de ne le pouvoir soutenir, et qu'il
continuât pour en connaître le dénouement.
Eh bien, le dénouement était là, quand elle
ne l'attendait plus, et sous la dernière forme
qu'elle eût attendue (en admettant, ce qu'elle
se disait maintenant, que ce fût bien le
dénouement, et qu'un autre ne se cachât

point derrière celui-là, et peut-être un autre encore derrière le suivant). Ce dénouement-ci, c'est qu'elle basculait du souvenir dans le présent, c'est aussi que ce qui n'avait de réalité que dans un cercle fermé, dans un univers clos, allait soudain contaminer tous les hasards et toutes les habitudes de sa vie quotidienne, et sur elle, et en elle, ne plus se contenter de signes — les reins nus, les corsages qui se dégrafent, la bague de fer — mais exiger un accomplissement. Il était exact que René ne l'avait jamais frappée et la seule différence entre l'époque où elle l'avait connu avant qu'il l'emmenât à Roissy, et le temps écoulé depuis qu'elle en était revenue, était qu'il usait aussi bien maintenant de ses reins et de sa bouche qu'il faisait auparavant (et continuait à faire) de son ventre. Elle n'avait jamais su si à Roissy même les coups de fouet qu'elle avait si régulièrement reçus avaient, fût-ce une seule fois, été donnés par lui (quand elle pouvait se poser la question, quand elle-même ou ceux à qui elle avait affaire étaient masqués) mais elle ne le croyait pas. Sans doute le plaisir qu'il prenait au spectacle de son corps lié et livré, vainement débattu, et de ses cris, était-il si fort qu'il ne supportait pas l'idée d'en être distrait en y prêtant lui-même les mains. Autant dire qu'il l'avouait, puisqu'il lui disait maintenant, si douce-ment, si tendrement, sans bouger du pro-fond fauteuil où il était à demi étendu, un genou croisé sur l'autre, combien il était heureux de la remettre, combien il était heureux qu'elle se remît elle-même aux ordres et aux volontés de Sir Stephen. Lors-que Sir Stephen désirerait qu'elle passât la nuit chez lui, ou seulement une heure, ou qu'elle l'accompagnât hors de Paris ou à Paris même à quelque restaurant ou à quel-que spectacle, il lui téléphonerait et lui enverrait sa voiture — à moins que René ne vînt lui-même la chercher. Aujourd'hui, maintenant, c'était à elle de parler. Consen-tait-elle ? Mais elle ne pouvait parler. Cette volonté qu'on lui demandait tout à coup d'exprimer, c'était la volonté de faire aban-don d'elle-même, de dire oui d'avance à tout ce à quoi elle voulait assurément dire oui, mais à quoi son corps disait non, au moins pour ce qui était du fouet. Car pour le reste, s'il fallait être honnête avec elle-même, elle se sentait trop troublée par le

désir qu'elle lisait dans les yeux de Sir Stephen pour se leurrer, et toute tremblante
qu'elle fût, et peut-être justement parce
qu'elle tremblait, elle savait qu'elle attendait
avec plus d'impatience que lui le moment
où il poserait sa main, ou peut-être ses lèvres,
contre elle. Sans doute, il dépendait d'elle
de rapprocher ce moment. Quelque courage,
ou quelque violent désir qu'elle en eût, elle
se sentit si soudainement faiblir, au moment
de répondre enfin, qu'elle glissa à terre, dans
sa robe épanouie autour d'elle, et que Sir
Stephen remarqua, à voix sourde dans le
silence, que la peur aussi lui allait bien. Ce
n'est pas à elle qu'il s'adressa, mais à René.
O eut l'impression qu'il se retenait d'avancer vers elle, et regretta qu'il se retînt.
Cependant elle ne le regardait pas, ne quittant pas René des yeux, épouvantée qu'il
devinât, lui, dans les siens, ce qu'il considé-
rerait peut-être comme une trahison. Et
pourtant ce n'en était pas une, car à mettre
en balance le désir qu'elle avait d'être à
Sir Stephen et son appartenance à René, elle
n'aurait pas eu un éclair d'hésitation ; elle
ne se laissait en vérité aller à ce désir que
parce que René le lui avait permis, et jus-

qu'à un certain point laissé entendre qu'il le lui ordonnait. Pourtant il lui demeurait ce doute de savoir qu'il ne s'irriterait pas de se voir trop vite et trop bien obéi. Le plus infime signe de lui l'effacerait aussitôt. Mais il ne fit aucun signe, se contentant de lui demander, pour la troisième fois, une réponse. Elle balbutia : « Je consens à tout ce qu'il vous plaira. » Baissa les yeux vers ses mains qui attendaient disjointes au creux de ses genoux, puis avoua dans un murmure : « Je voudrais savoir si je serai fouettée... » Pendant un si long moment qu'elle eut le temps de se repentir vingt fois de sa question, personne ne répondit. Puis la voix de Sir Stephen dit lentement : « Quelquefois. » O entendit ensuite craquer une allumette, et le bruit de verres qu'on remuait : sans doute l'un des deux hommes reprenait-il du whisky. René laissait O sans secours. René se taisait. « Même si j'y consens maintenant, dit-elle, même si je promets maintenant, je ne pourrai pas le supporter. — On ne vous demande que de le subir, et si vous criez ou vous plaignez, de consentir d'avance que ce soit en vain, reprit Sir Stephen. — Oh ! par pitié, dit O, pas encore », car Sir Stephen se levait. René aussi se levait, se penchait vers elle, la prenait aux épaules. « Réponds donc, dit-il, tu acceptes ? » Elle dit enfin qu'elle acceptait. Il la souleva doucement, et s'étend assis sur le grand sofa, la fit mettre à genoux le long de lui ; face au sofa sur lequel, les bras allongés, les yeux fermés, elle reposa la tête et le buste. Une image alors la traversa, qu'elle avait vue quelques années auparavant, une curieuse estampe représentant une femme à genoux, comme elle, devant un fauteuil, dans une pièce carrelée, un enfant et un chien jouaient dans un coin, les jupes de la femme étaient relevées, et un homme debout tout auprès levait sur elle une poignée de verges. Tous portaient des vêtements de la fin du XVIᵉ siècle et l'estampe avait un titre qui lui avait paru révoltant : la correction familiale. René, d'une main, lui enserra les poignets, pendant que de l'autre il relevait sa robe, si haut qu'elle sentit la gaze plissée lui effleurer la joue. Il lui caressait les reins, et faisait remarquer à Sir Stephen les deux fossettes qui les creusaient, et la douceur du sillon entre les cuisses. Puis il appuya de cette même main sur sa taille pour faire saillir davantage les reins, en lui ordonnant de mieux ouvrir les genoux. Elle obéit sans mot dire. Les honneurs que René faisait de son corps, les réponses de Sir Stephen, la brutalité des termes que les deux hommes employaient la plongèrent dans un accès de honte si violent et si inattendu que le désir qu'elle avait d'être à Sir Stephen s'évanouit, et qu'elle se mit à espérer le fouet comme une délivrance, la douleur et les cris comme une justification. Mais les mains de Sir Stephen ouvrirent son ventre, forcèrent ses reins, la quittèrent, la reprirent, la caressèrent jusqu'à ce qu'elle gémît, humiliée de gémir, et défaite. « Je te laisse à Sir Stephen, dit alors René, reste comme tu es, il te renversera quand il voudra. » Combien de fois n'était-elle pas restée à Roissy ainsi à genoux et offerte à n'importe qui ? Mais elle était alors toujours tenue par les bracelets qui joignaient ses mains ensemble, heureuse prisonnière à qui tout était imposé, à qui rien n'était demandé. Ici, c'était de son propre gré qu'elle demeurait à demi nue, alors qu'un seul geste, le même qui suffirait à la remettre debout, suffirait à la couvrir. Sa promesse la liait autant que les bracelets de cuir et les chaînes. Etait-ce seulement sa promesse ? Et si humiliée qu'elle fût, ou plutôt parce qu'elle était humiliée, n'y avait-il pas aussi la douceur de n'avoir de prix que par son humiliation même, que par sa docilité à se courber, par son obéissance à s'ouvrir ? René parti, Sir Stephen l'accompagnant jusqu'à la porte, elle attendit donc seule sans bouger, se sentant, dans la solitude, plus exposée, et dans l'attente plus prostituée qu'elle ne l'avait éprouvé quand ils étaient là. La soie grise et jaune du sofa était lisse sous sa jupe, à travers le nylon de ses bas elle sentait sous ses genoux le tapis de haute laine, et, tout le long de sa cuisse gauche, la chaleur du foyer, où Sir Stephen avait ajouté trois bûches qui flambaient à grand bruit. Un cartel ancien, au-dessus d'une commode, avait un tic-tac si léger qu'on le percevait seulement quand tout se taisait à l'entour. O l'écouta attentivement, songeant à ce qu'il y avait d'absurde, dans ce salon civilisé et discret, à demeurer dans la posture où elle était. A travers les persiennes fermées, on entendait le grondement ensommeillé de Paris, passé minuit. Demain matin au jour, reconnaîtrait-elle, sur le coussin du sofa, la place où elle tenait sa tête appuyée ? Reviendrait-elle jamais, en plein jour, dans ce même salon, pour y être traitée de même ? Sir Stephen tardait à rentrer, et O, qui avait attendu avec un tel abandon le bon plaisir des inconnus de Roissy, avait la gorge serrée à l'idée que dans une minute, dans dix minutes, il poserait de nouveau ses mains sur elle. Mais ce ne fut pas tout à fait comme elle l'avait prévu. Elle l'entendit qui rouvrait la porte, traversait la pièce. Il resta quelque temps debout, le dos au feu, à considérer O, puis d'une voix très basse, il lui dit de se relever et de se rasseoir. Elle obéit, surprise, et presque gênée. Il lui apporta courtoisement un verre de whisky, et une cigarette, qu'elle refusa également. Elle vit alors qu'il était en robe de chambre, une robe très stricte en bure grise — du même gris que ses cheveux. Ses mains étaient longues et sèches, et les ongles plats, coupés courts, étaient très blancs. Il saisit le regard d'O, qui rougit : c'étaient bien ces mêmes mains, dures et insistantes, qui s'étaient emparées de son corps, et que maintenant elle redoutait, et espérait. Mais il n'approchait pas. « Je voudrais que vous vous mettiez nue, dit-il. Mais défaites d'abord seulement votre veste, sans vous lever. » O détacha les grandes agrafes dorées, et fit glisser de ses épaules le justaucorps noir, qu'elle posa à l'autre bout du sofa, où étaient déjà sa fourrure, ses gants et son sac. « Caressez un peu la pointe de vos seins », dit alors Sir Stephen, qui ajouta : « Il faudra mettre un fard plus foncé, le vôtre est trop clair. » O stupéfaite frôla du bout de ses doigts la pointe de ses seins, qu'elle sentit durcir et dresser, et cacha de ses paumes : « Ah ! non », reprit Sir Stephen. Elle retira ses mains et se renversa sur le dossier du sofa : ses seins étaient lourds pour son buste mince, et s'écartèrent doucement vers ses aisselles. Elle avait la nuque appuyée au dossier, les mains de part et d'autre de ses hanches. Pourquoi Sir Stephen ne penchait-il pas sa bouche vers elle, n'avançait-il pas sa main vers les pointes qu'il avait voulu voir dresser, et qu'elle sentait frémir, si immobile qu'elle se tînt, au seul mouvement de sa respiration. Mais il s'était approché, assis de biais sur le bras du sofa, et ne la touchait pas. Il fumait, et un mouvement de sa main, dont O ne sut jamais s'il était ou non volontaire, fit voler un peu de cendres presque chaudes entre ses seins. Elle eut le sentiment qu'il voulait l'insulter, par son dédain, par son silence, par ce qu'il y avait de détachement dans son attention. Pourtant il la désirait tout à l'heure, maintenant encore il la désirait, elle le voyait tendu sous l'étoffe souple de sa robe. Que ne la prenait-il, fût-ce pour la blesser ! O se détesta de son propre désir, et détesta Sir Stephen pour l'empire qu'il avait sur lui-même. Elle voulait qu'il l'aimât, voilà la vérité : qu'il fût impatient de toucher ses lèvres et de pénétrer son corps, qu'il la saccageât au besoin, mais qu'il ne pût devant elle garder son calme et maîtriser son plaisir. Il lui était bien indifférent, à Roissy, que ceux qui se servaient d'elle eussent quelque sentiment que ce fût : ils étaient les instruments par quoi son amant prenait plaisir à elle, par quoi elle devenait ce qu'il voulait qu'elle fût, polie et lisse et douce comme une pierre. Leurs mains étaient ses mains, leurs ordres ses ordres. Ici non. René l'avait remise à Sir Stephen, mais on voyait bien qu'il voulait la partager avec

lui, non pas pour obtenir d'elle davantage,
ni pour la joie de la livrer, mais pour partager avec Sir Stephen ce qu'il aimait
aujourd'hui le plus, comme sans doute jadis,
quand ils étaient plus jeunes, ils avaient
ensemble partagé un voyage, un bateau, un
cheval. C'était par rapport à Sir Stephen
que le partage avait un sens aujourd'hui,
beaucoup plus que par rapport à elle. Ce
que chacun chercherait en elle, ce serait la
marque de l'autre, la trace du passage de
l'autre. René tout à l'heure, quand elle était
à genoux à demi nue contre lui, et que Sir
Stephen des deux mains lui ouvrait les
cuisses, René avait expliqué à Sir Stephen
pourquoi les reins d'O étaient si faciles, et
pourquoi il avait été content qu'on les eût
ainsi préparés : c'est qu'il avait pensé qu'il
serait agréable à Sir Stephen d'avoir
constamment à sa disposition la voie qui
lui plaisait. Il avait même ajouté que, s'il
le désirait, il lui en laisserait le seul usage.
« Ah ! volontiers », avait dit Sir Stephen,
mais il avait remarqué que malgré tout il
risquait de déchirer O. « O est à vous, avait
répondu René. » Et il s'était penché vers
elle et lui avait embrassé les mains. La

seule idée que René pouvait ainsi envisager
de se priver de quelque part d'elle avait
bouleversé O. Elle y avait vu le signe que
son amant tenait à Sir Stephen plus qu'il
ne tenait à elle. Et aussi, bien qu'il lui eût
si souvent répété qu'il aimait en elle l'objet
qu'il en avait fait, la disposition absolue
qu'il avait d'elle, la liberté où il était vis-à-
vis d'elle, comme on a la disposition d'un
meuble, qu'on a autant et parfois plus de
plaisir à donner qu'à garder pour soi, elle
se rendit compte qu'elle ne l'avait pas cru
tout à fait. Elle voyait encore un autre
signe de ce que l'on ne pouvait guère appeler que de la déférence envers Sir Stephen
dans le fait que René, qui aimait si profondément la voir sous les corps ou les coups
d'autres que lui, qui regardait avec une si
constante tendresse, une si inlassable reconnaissance sa bouche s'ouvrir pour gémir ou
crier, ses yeux se fermer sur les larmes,
l'avait quittée après s'être assuré, en la lui
exposant, en l'entrouvrant comme on entrou-
vre la bouche d'un cheval pour montrer qu'il
est assez jeune, que Sir Stephen la trouvait
assez belle ou à la rigueur assez commode
pour lui, et voulait bien l'accepter. Cette

conduite, outrageante peut-être, ne changeait rien à l'amour d'O pour René. Elle se
trouvait heureuse de compter assez pour lui
pour qu'il prît plaisir à l'outrager, comme
les croyants remercient Dieu de les abaisser.
Mais, en Sir Stephen, elle devinait une
volonté ferme et glacée, que le désir ne
ferait pas fléchir, et devant laquelle jusqu'ici
elle ne comptait, si émouvante et si soumise
qu'elle fût, pour absolument rien. Autrement
pourquoi aurait-elle éprouvé tant de peur ?
Le fouet à la ceinture des valets à Roissy,
les chaînes presque constamment portées
lui avaient semblé moins effrayantes que
la tranquillité du regard que Sir Stephen
attachait sur ses seins qu'il ne touchait pas.
Elle savait combien sur ses épaules menues
et la minceur de son buste leur lourdeur
même, lisse et gonflée, les faisait fragiles.
Elle ne pouvait arrêter leur tremblement, il
aurait fallu cesser de respirer. Espérer que
cette fragilité désarmerait Sir Stephen était
futile, et elle savait bien que c'était tout le
contraire : sa douceur offerte appelait les
blessures autant que les caresses, les ongles
autant que les lèvres. Elle eut un instant
d'illusion : la main droite de Sir Stephen,

qui tenait sa cigarette, effleura, du bout du
médius, leur pointe, qui obéit, et se raidit
davantage. Que ce fût pour Sir Stephen une
manière de jeu, sans plus, ou de vérification,
comme on vérifie l'excellence et la bonne
marche d'un mécanisme, O n'en douta pas.
Sans quitter le bras de son fauteuil, Sir Stephen lui dit alors d'ôter sa jupe. Sous les
mains moites d'O, les agrafes glissaient mal,
et elle dut s'y reprendre à deux fois pour
défaire, sous sa jupe, son jupon de faille
noire. Lorsqu'elle fut tout à fait nue, ses
hautes sandales vernies et ses bas de nylon
noir roulés à plat au-dessus de ses genoux,
soulignant la finesse de ses jambes et la
blancheur de ses cuisses, Sir Stephen, qui
s'était levé aussi, la prit d'une main au
ventre et la poussa vers le sofa. Il la fit
mettre à genoux, le dos contre le sofa, et
pour qu'elle s'y appuyât plus près des
épaules que de la taille, il lui fit écarter un
peu les cuisses. Ses mains reposaient contre
ses chevilles, ainsi son ventre était-il entre-
bâillé, et au-dessus de ses seins toujours
offerts, sa gorge renversée. Elle n'osait regarder au visage Sir Stephen, mais voyait ses
mains dénouer la ceinture de sa robe. Quand

il eut enjambé O toujours à genoux et qu'il l'eut saisie par la nuque, il s'enfonça dans sa bouche. Ce n'était pas la caresse de ses lèvres le long de lui qu'il cherchait, mais le fond de sa gorge. Il la fouilla longtemps, et O sentait gonfler et durcir en elle le bâillon de chair qui l'étouffait, et dont le choc lent et répété lui arrachait les larmes. Pour mieux l'envahir, Sir Stephen avait fini par se mettre à genoux sur le sofa de part et d'autre de son visage, et ses reins reposaient par instants sur la poitrine d'O, qui sentait son ventre, inutile et dédaigné, la brûler. Si longuement que Sir Stephen se complût en elle, il n'acheva pas son plaisir, mais se retira d'elle en silence, et se remit debout sans refermer sa robe. « Vous êtes facile, O, lui dit-il. Vous aimez René, mais vous êtes facile. René se rend-il compte que vous avez envie de tous les hommes qui vous désirent, qu'en vous envoyant à Roissy ou en vous livrant à d'autres, il vous donne autant d'alibis pour votre propre facilité ? — J'aime René, répondit O. — Vous aimez René, mais vous avez envie de moi, entre autres », reprit Sir Stephen. Oui, elle avait envie de lui, mais si René, l'apprenant, allait changer ? Elle ne pouvait que se taire, et baisser les yeux, son regard seul dans les yeux de Sir Stephen aurait été un aveu. Alors Sir Stephen se pencha vers elle et la prenant aux épaules la fit glisser sur le tapis. Elle se retrouva sur le dos, les jambes relevées et repliées contre elle. Sir Stephen, qui s'était assis sur le sofa à l'endroit où, l'instant d'avant elle était appuyée, saisit son genou droit et le tira vers lui. Comme elle faisait face à la cheminée, la lumière du foyer tout proche éclairait violemment le double sillon écartelé de son ventre et de ses reins. Sans la lâcher, Sir Stephen lui ordonna brusquement de se caresser elle-même, mais de ne pas refermer les jambes. Saisie, elle allongea docilement vers son ventre sa main droite, et rencontra sous ses doigts, déjà dégagée de la toison qui la protégeait, déjà brûlante, l'arête de chair où se rejoignaient les fragiles lèvres de son ventre. Mais sa main retomba, et elle balbutia : « Je ne peux pas. » Et en effet, elle ne pouvait pas. Elle ne s'était jamais caressée que furtivement dans la tiédeur et l'obscurité de son lit, quand elle dormait seule, sans jamais chercher jusqu'au bout le plaisir. Mais elle le trouvait parfois plus tard en rêve, et se réveillait déçue qu'il eût été si fort à la fois et si fugace. Le regard de Sir Stephen insistait. Elle ne put le soutenir et, répétant « je ne peux pas », ferma les yeux. Ce qu'elle revoyait, et n'arrivait pas à fuir, et qui lui donnait le même vertige de dégoût que chaque fois qu'elle en avait été témoin, c'était quand elle avait quinze ans, Marion renversée dans le fauteuil de cuir d'une chambre d'hôtel, Marion une jambe sur le bras du fauteuil et la tête à demi pendante sur l'autre bras, qui se caressait devant elle et gémissait. Marion lui avait raconté qu'elle s'était un jour caressée ainsi dans son bureau, quand elle se croyait seule, et que le chef de son service était entré à l'improviste et l'avait surprise. O se souvenait du bureau de Marion, une pièce nue, aux murs vert pâle, dont le jour qui venait du nord passait à travers des vitres poussiéreuses. Il n'y avait qu'un seul fauteuil, destiné aux visiteurs, et qui faisait face à la table. « Tu t'es sauvée ? avait dit O. — Non, avait répondu Marion, il m'a demandé de recommencer, mais il a fermé la porte à clef, m'a fait enlever mon slip, et a poussé le fauteuil devant la fenêtre. » O avait été envahie d'admiration pour ce qu'elle trouvait le courage de Marion, et d'horreur, et avait farouchement refusé, elle, de se caresser devant Marion, et juré qu'elle ne se caresserait jamais, jamais devant personne. Marion avait ri et dit : « Tu verras quand ton amant te le demandera. » René ne le lui avait jamais demandé. Aurait-elle obéi ? Ah ! sûrement, mais avec quelle terreur de voir se lever dans les yeux de René le dégoût qu'elle-même avait éprouvé devant Marion. Ce qui était absurde. Et que ce fût Sir Stephen, c'était plus absurde encore. Que lui importait le dégoût de Sir Stephen ? Mais non, elle ne pouvait pas. Pour la troisième fois, elle murmura : « Je ne peux pas. » Si bas que ce fût dit, il l'entendit, la lâcha, se leva, referma sa robe, ordonna à O de se lever. « C'est cela votre obéissance ? » dit-il. Puis de la main gauche il lui prit les deux poignets, et de la droite la gifla à tour de bras. Elle chancela, et serait tombée s'il ne l'avait maintenue. « Mettez-vous à genoux pour m'écouter, dit-il, je crains que René ne vous ait bien mal dressée. — J'obéis toujours à René, balbutia-t-elle. — Vous confondez l'amour et l'obéissance. Vous m'obéirez sans m'aimer, et sans que je vous aime. » Alors elle se sentit soulevée de la révolte la plus étrange, niant en silence à l'intérieur d'elle-même les paroles qu'elle entendait, niant ses promesses de soumission et d'esclavage, niant son propre consentement, son propre désir, sa nudité, sa sueur, ses jambes tremblantes, le cerne de ses yeux. Elle se débattit en serrant les dents de rage quand l'ayant fait se courber, prosternée, les coudes à terre et tête entre ses bras, et la soulevant aux hanches, il força ses reins pour la déchirer comme René avait dit qu'il la déchirerait. Une première fois elle ne cria pas. Il s'y reprit plus brutalement, et elle cria. Et à chaque fois qu'il se retirait, puis revenait, donc à chaque fois qu'il le décidait, elle criait. Elle criait de révolte autant que de douleur, et il ne s'y trompait pas. Elle savait aussi, ce qui faisait que de toute façon elle était vaincue, qu'il était content de la contraindre à crier. Lorsqu'il en eut fini, et qu'après l'avoir fait relever, il fut sur le point de la renvoyer, il lui fit remarquer que ce que de lui il avait répandu en elle, allait peu à peu en s'échappant d'elle se teinter du sang de la blessure qu'il lui avait faite,

que cette blessure la brûlerait tant que ses
reins ne se seraient pas faits à lui, et qu'il
continuerait à en forcer le passage. Cet usage
d'elle, que René lui réservait, il ne s'en pri-
verait certes pas, et il ne fallait pas qu'elle
espérât être ménagée. Il lui rappela qu'elle
avait consenti à être l'esclave de René et la
sienne, mais il lui paraissait peu probable
qu'elle sût, en toute connaissance de cause,
à quoi elle s'était engagée. Lorsqu'elle l'aurait appris, il serait trop tard pour qu'elle
échappât. O l'écoutant se disait que peut-
être il serait également trop tard, si longue
elle serait à réduire, pour qu'il ne fût pas
enfin épris de son ouvrage, et ne l'aimât
pas un peu. Car toute sa résistance intérieure, et le timide refus qu'elle osait manifester n'avaient que cette seule raison
d'être : elle voulait exister pour Sir Stephen,
si peu que ce fût, comme elle existait pour
René, et qu'il eût pour elle plus que du
désir. Non qu'elle en fût éprise, mais parce
qu'elle voyait bien que René aimait Sir Stephen avec la passion des garçons pour leurs
aînés, et qu'elle le sentait prêt, pour satisfaire Sir Stephen, à sacrifier d'elle au besoin
ce que Sir Stephen en exigerait ; elle savait,

de divination certaine, qu'il calquerait son
attitude sur la sienne, et qui si Sir Stephen
lui montrait du mépris, René, quelque amour
qu'il eût pour elle, serait contaminé par ce
mépris, comme jamais il ne l'avait été, ni
n'avait songé à l'être, par l'attitude des
hommes à Roissy. C'est qu'à Roissy, vis-à-vis
d'elle, il était le maître, et l'attitude de tous
ceux à qui il la donnait dépendait de la
sienne. Ici, le maître n'était plus lui, au
contraire. Sir Stephen était le maître de
René, sans que René s'en doutât parfaitement lui-même, c'est-à-dire que René l'admirait, et voudrait l'imiter, rivaliser avec lui,
c'était pourquoi il partageait tout avec lui,
et pourquoi il lui avait donné O : cette fois,
il était criant qu'elle était donnée tout de
bon. René continuerait à l'aimer sans doute
dans la mesure où Sir Stephen trouverait
qu'elle en valait la peine, et l'aimerait à son
tour. Jusque-là, il était clair que Sir Stephen
serait son maître, et, quoi que René s'ima-
ginât, son seul maître, dans le rapport exact
qui lie le maître à l'esclave. Elle n'en attendait aucune pitié, mais ne pouvait-elle espérer lui arracher quelque amour ? A demi
étendu dans le grand fauteuil qu'il occupait

près du feu, avant le départ de René, il l'avait laissée nue, debout devant lui, en lui disant d'attendre ses ordres. Elle avait attendu sans mot dire. Puis il s'était levé et lui avait dit de le suivre. Nue encore, avec ses sandales à hauts talons et ses bas noirs, elle avait monté derrière lui l'escalier qui partait du palier du rez-de-chaussée, et pénétré dans une petite chambre, si petite qu'il n'y avait place que pour un lit dans un angle et pour une coiffeuse et une chaise entre le lit et la fenêtre. Cette petite chambre était commandée par une chambre plus grande qui était celle de Sir Stephen et toutes deux ouvraient sur la même salle de bains. O se lava et s'essuya — la serviette se tacha d'un peu de rose —, ôta ses sandales et ses bas, et se coucha dans les draps froids. Les rideaux de la fenêtre étaient ouverts, mais il faisait nuit noire. Avant de fermer la porte de communication, O déjà couchée, Sir Stephen s'approcha d'elle et lui baisa le bout des doigts, comme il avait fait quand elle était descendue de son tabouret, au bar, et qu'il l'avait complimentée de sa bague de fer. Ainsi, il avait enfoncé en elle ses mains et son sexe, saccagé ses reins et

sa bouche, mais ne daignait poser ses lèvres
que sur le bout de ses doigts. O pleura, et
s'endormit à l'aube.

Le lendemain, un peu avant midi, le
chauffeur de Sir Stephen avait reconduit O
chez elle. A dix heures elle s'était réveillée,
une vieille mulâtresse lui avait apporté une
tasse de café, préparé un bain et donné ses
vêtements, à l'exception toutefois de sa fourrure, de ses gants et de son sac, qu'elle
retrouva sur le sofa du salon quand elle fut
descendue. Le salon était vide, les persiennes et les rideaux étaient ouverts. On
apercevait, face au sofa, un jardin étroit et
vert comme un aquarium, uniquement planté
de lierres, de houx et de fusains. Comme elle
mettait son manteau, la mulâtresse lui avait
dit que Sir Stephen était sorti et lui avait
tendu une lettre où, sur l'enveloppe, était sa
seule initiale ; la feuille blanche portait deux
lignes : « René a téléphoné qu'il viendrait à
six heures vous chercher au studio », signées
d'un S, et un post-scriptum : « La cravache
est pour votre prochaine visite. » O regarda
autour d'elle : sur la table, entre les deux

fauteuils où, la veille, s'étaient assis Sir Stephen et René, il y avait, près d'un bol de
roses jaunes, une très longue et mince cravache de cuir. La domestique l'attendait
à la porte. O mit la lettre dans son sac et
partit.

René avait donc téléphoné à Sir Stephen,
et non pas à elle. De retour chez elle, après
avoir quitté ses vêtements et déjeuné, enve-
loppée dans sa robe de chambre, elle eut
encore le temps de refaire à loisir son
maquillage et sa coiffure, et de se rhabiller
pour partir pour le studio où elle devait être
à trois heures : le téléphone ne sonna pas,
René ne l'appela pas. Pourquoi ? Qu'est-ce
que Sir Stephen lui avait dit ? Comment
avaient-ils parlé d'elle ? Elle se souvint des
mots avec lesquels ils avaient tous deux
devant elle si naturellement discuté de la
commodité de son corps par rapport aux
exigences des leurs. Peut-être était-ce qu'elle
n'avait pas l'habitude, en anglais, du vocabu-
laire de cette sorte, mais les seuls termes
français qui lui parussent équivalents étaient
d'une bassesse absolue. Il est vrai qu'elle
avait passé entre autant de mains que les
prostituées des bordels, pourquoi la trai-

terait-on autrement ? « Je t'aime, René, je t'aime, répétait-elle, je t'aime, fais de moi ce que tu voudras, mais ne me laisse pas, mon Dieu, ne me laisse pas. »

Qui aura pitié de ceux qui attendent ? On les reconnaît si bien : à leur douceur, à leur regard faussement attentif — attentif, oui, mais à autre chose que ce qu'ils regardent — à leur absence. Trois heures durant, dans le studio où posait pour des chapeaux un petit mannequin roux et potelé qu'O ne connaissait pas, elle fut cette absente tirée à l'intérieur d'elle-même par la hâte que les minutes passent, et par l'angoisse. Sur une blouse et un jupon de soie rouge, elle avait mis une jupe écossaise et une courte veste de daim. Le rouge de sa blouse, sous sa veste entrouverte, pâlissait son visage déjà pâle, et le petit mannequin roux lui dit qu'elle avait l'air fatal. « Fatal pour qui ? » se dit O. Deux ans plus tôt, avant d'avoir rencontré René et de l'avoir aimé, elle se serait juré : « fatal pour Sir Stephen », et dit « il va bien voir ». Mais son amour pour René et l'amour de René pour elle lui avaient enlevé toutes ses armes, et au lieu de lui apporter de nouvelles preuves de son pouvoir, lui avaient ôté celles qu'elle avait jusque-là. Elle était jadis indifférente et dansante, s'amusant à tenter d'un mot ou d'un geste les garçons qui étaient amoureux d'elle, mais sans leur rien accorder, se donnant ensuite par caprice, une fois, une seule, pour récompenser, mais aussi pour enflammer davantage, et rendre plus cruelle une passion qu'elle ne partageait pas. Elle était sûre qu'ils l'aimaient. L'un d'eux avait tenté de se tuer ; quand il était revenu guéri de la clinique où on l'avait transporté, elle était allée chez lui, s'était mise nue, et lui défendant de la toucher, s'était étendue sur son divan. Blême de désir et de douleur, il l'avait contemplée pendant deux heures, en silence, pétrifié par sa parole donnée. Elle n'avait jamais voulu le revoir. Ce n'est pas qu'elle prît à la légère le désir qu'elle inspirait. Elle le comprenait ou croyait le comprendre d'autant mieux qu'elle-même éprouvait un désir analogue (pensait-elle) pour ses amies ou pour de jeunes femmes inconnues. Quelques-unes lui cédaient, qu'elle emmenait dans des hôtels trop discrets, aux couloirs étroits et aux cloisons transparentes à tous les bruits, d'autres la repoussaient avec horreur. Mais ce qu'elle s'imaginait être du désir n'allait pas plus loin que le goût de la conquête, et ses manières de mauvais garçon, ni le fait qu'elle avait eu quelques amants — si l'on peut les appeler amants — ni sa dureté, ni même son courage, ne lui servirent de rien quand elle rencontra René. En huit jours elle apprit la peur, mais la certitude, l'angoisse, mais le bonheur. René se jeta sur elle comme un forban sur une captive, et elle devint captive avec délices, sentant à ses poignets, à ses chevilles, à tous ses membres et au plus secret de son corps et de son cœur les liens plus invisibles que les plus fins cheveux, plus puissants que les câbles dont les Lilliputiens avaient ligoté Gulliver, que son amant serrait ou desserrait d'un regard. Elle n'était plus libre ? Ah ! Dieu merci, elle n'était plus libre. Mais elle était légère, déesse sur les nuées, poisson dans l'eau, perdue de bonheur. Perdue parce que ces fins cheveux, ces câbles que René tenait tous dans sa main, étaient le seul réseau de forces par où passât désormais en elle le courant de la vie. Et c'était si vrai que lorsque René relâchait sa prise sur elle — ou qu'elle se l'imaginait — lorsqu'il semblait absent, ou s'éloignait avec ce qui paraissait à O de l'indifférence, ou lorsqu'il demeurait sans la voir ou sans répondre à ses lettres, et qu'elle croyait qu'il ne voulait plus la voir ou qu'il allait ne plus l'aimer, ou qu'il ne l'aimait plus, tout s'étouffait en elle, elle suffoquait. L'herbe devenait noire, le jour n'était plus le jour, ni la nuit la nuit, mais d'infernales machines qui faisaient alterner le clair et l'obscur pour son supplice. L'eau fraîche lui donnait la nausée. Elle se sentait statue de cendres, âcre, inutile, et damnée, comme les statues de sel de Gomorrhe. Car elle était coupable. Ceux qui aiment Dieu, et que Dieu délaisse dans la nuit obscure, sont coupables, puisqu'ils sont délaissés. Ils cherchent leurs fautes dans leur souvenir. Elle cherchait les siennes. Elle ne trouvait que d'insignifiantes complaisances, qui étaient plus dans sa disposition que dans ses actes, pour les désirs qu'elle éveillait chez d'autres hommes que René, auxquels elle ne prêtait attention que dans la mesure où le bonheur que lui donnait l'amour de René, la certitude d'appartenir à René, la comblait, et dans l'abandon où elle était vis-à-vis de lui, la rendait invulnérable, irresponsable, et tous ses actes sans conséquences — mais quels actes ? Car elle n'avait à se reprocher que des pensées, et des tentations fugitives. Pourtant, il était sûr qu'elle était coupable et que sans le vouloir René la punissait d'une faute qu'il ne connaissait pas (puisqu'elle restait tout intérieure) mais que Sir Stephen avait à l'instant décelée : la facilité. O était heureuse que René la fît fouetter et la prostituât parce que sa soumission passionnée donnerait à son amant la preuve de son appartenance, mais aussi parce que la douleur et la honte du fouet, et l'outrage que lui infligeaient ceux qui la contraignaient au plaisir quand ils la possédaient et tout aussi bien se complaisaient au leur sans tenir compte du sien, lui semblaient le rachat même de sa faute. Il y avait des étreintes qui lui avaient été immondes, des mains qui sur ses seins étaient une intolérable insulte, des bouches qui avaient aspiré ses lèvres et sa langue comme de molles et ignobles sangsues, et des langues et des sexes, bêtes gluantes, qui se caressant à sa bouche fermée, au sillon de toutes ses forces serré de son ventre et de ses reins, l'avaient raidie de révolte, si longuement que le fouet n'avait

pas été de trop pour la réduire, mais auxquels elle avait fini par s'ouvrir, avec un
dégoût et une servilité abominables. Et si
malgré cela Sir Stephen avait raison ? Si
son avilissement lui était doux ? Alors, plus
sa bassesse était grande, plus René était
miséricordieux de consentir à faire d'O l'instrument de son plaisir. Quand elle était
enfant, elle avait lu, en lettres rouges sur
le mur blanc d'une chambre qu'elle avait
habitée pendant deux mois au pays de
Galles, un texte biblique comme les protes-
tants en inscrivent dans leurs maisons :
« Il est terrible de tomber entre les mains
du Dieu vivant. » Non, se disait-elle maintenant, ce n'est pas vrai. Ce qui est terrible,
c'est d'être rejetée des mains du Dieu vivant.
Chaque fois que René reculait le moment de
la voir, comme il avait fait ce jour-là, et
tardait — car six heures étaient passées, et
six heures et demie — O était ainsi cernée
par la folie et par le désespoir, vainement.
La folie pour rien, le désespoir pour rien,
rien n'était vrai. René arrivait, il était là, il
n'avait pas changé, il l'aimait, mais un
conseil d'administration l'avait retenu ou un
travail supplémentaire, il n'avait pas eu le

temps de prévenir. O, d'un seul coup, émergeait de sa chambre d'asphyxiée, et cependant chacun de ces accès de terreur laissait au fond d'elle une prémonition sourde, un avertissement de malheur : car aussi bien René oubliait de prévenir, et un jeu de golf ou un bridge le retenait, et peut-être un autre visage, car il aimait O, mais il était libre, lui, sûr d'elle et léger, léger. Un jour de mort et de cendres, un jour entre les jours ne viendrait-il pas qui donnerait raison à la folie, où la chambre à gaz ne se rouvrirait pas ? Ah ! que le miracle dure, que ne s'efface pas la grâce, René ne me quitte pas ! O ne voyait pas, et refusait de voir chaque jour plus loin que le lendemain et le surlendemain, chaque semaine plus loin que la semaine suivante. Et chaque nuit pour elle avec René était une nuit pour toujours.

René arriva enfin à sept heures, si joyeux de la retrouver qu'il l'embrassa devant l'électricien qui réparait un phare, devant le petit mannequin roux qui sortait du cabinet de maquillage, et devant Jacqueline, que personne n'attendait, brusquement entrée sur ses talons. « C'est ravissant, dit Jacque-

line à O, je passais, je venais vous demander
mes derniers clichés, mais je crois que ce
n'est pas le moment, je m'en vais. — Made-
moiselle, je vous en supplie, cria René sans
lâcher O qu'il tenait par la taille, Mademoi-
selle, ne vous en allez pas ! » O nomma René
à Jacqueline et Jacqueline à René. Le mannequin roux, dépité, était rentré dans sa boîte,
l'électricien faisait semblant d'être occupé.
O regardait Jacqueline, et sentait René qui
suivait son regard. Jacqueline avait une
tenue de ski comme seules en portent les
stars qui ne font pas de ski. Son chandail
noir marquait ses seins petits et très écartés, le pantalon en fuseau ses jambes longues de fille des neiges. Tout en elle sentait
la neige : le reflet bleuté de sa veste de
phoque gris, c'était la neige à l'ombre, le
reflet givré de ses cheveux et de ses cils : la
neige au soleil. Elle avait aux lèvres un
rouge qui tirait au capucine, et quand elle
sourit, et leva les yeux sur O, O se dit que
personne ne pourrait résister à l'envie de
boire à cette eau verte et mouvante sous les
cils de givre, et d'arracher le chandail pour
poser les mains sur les seins trop petits.
Voilà : René n'était pas plutôt revenu que

dans la certitude de sa présence elle retrouvait le goût des autres et d'elle-même, et le monde. Ils descendirent tous trois. Rue Royale, la neige qui était tombée à gros flocons deux heures durant ne tourbillonnait plus qu'en minces petites mouches blanches qui les piquaient au visage. Le sel répandu sur le trottoir crissait sous les semelles et décomposait la neige, et O sentit le souffle glacé qu'il dégageait monter le long de ses jambes et saisir ses cuisses nues.

Ce qu'elle cherchait dans les jeunes femmes qu'elle poursuivait, O s'en faisait une idée assez claire. Ce n'était pas qu'elle voulût se donner l'impression qu'elle rivalisait avec les hommes, ni compenser, par une conduite masculine, une infériorité féminine qu'elle n'éprouvait aucunement. Il est vrai qu'elle s'était surprise, à vingt ans, quand elle faisait la cour à la plus jolie de ses camarades, retirant son béret pour lui dire bonjour, s'effaçant pour la laisser passer, et lui offrant la main pour descendre d'un taxi. De même, elle ne tolérait pas de ne pas payer quand elles prenaient ensemble le thé dans une pâtisserie. Elle lui baisait la main, et au besoin la bouche, si possible en pleine rue. Mais c'était là autant de manières qu'elle affichait pour faire scandale, par enfantillage beaucoup plus que par conviction. Au contraire, le goût qu'elle avait pour la douceur de très douces lèvres peintes cédant sous les siennes, pour l'éclat d'émail ou de perle des yeux qui se ferment à demi dans la pénombre des divans, à cinq heures d'après-midi, quand on a tiré les rideaux et allumé la lampe sur la cheminée, pour les voix qui disent : encore, ah ! je t'en prie, encore, pour la tenace odeur marine qui lui restait aux doigts, ce goût-là était réel et profond. Aussi vive était la joie que lui donnait la chasse. Probablement non pour la chasse en elle-même, si amusante ou passionnante qu'elle fût, mais pour la liberté parfaite qu'elle y goûtait. Elle menait, elle, et elle seule, le jeu (ce qu'avec un homme elle ne faisait jamais, autrement que par le biais). C'était elle qui avait l'initiative des paroles, des rendez-vous, des baisers, au point qu'elle préférait qu'on ne l'embrassât pas la première, et depuis qu'elle avait des amants, ne tolérait à peu près jamais que la fille qu'elle caressait la caressât à son tour. Autant elle avait de hâte à tenir son amie nue sous ses yeux, sous ses mains, autant il lui semblait vain de se déshabiller. Souvent, elle cherchait des prétextes pour l'éviter, disait qu'elle avait froid, qu'elle était dans un mauvais jour. D'ailleurs, il était peu de femmes chez lesquelles elle ne trouvât quelque beauté ; elle se souvenait, à peine sortie du lycée, avoir voulu séduire une petite fille laide et déplaisante, toujours de mauvaise humeur, uniquement parce qu'elle avait une forêt de cheveux blonds qui faisait ombre et lumière en mèches mal taillées sur une peau pourtant terne, mais dont le grain était doux, serré, fin, absolument mat. Mais la petite fille l'avait chassée, et si le plaisir avait quelque jour éclairé l'ingrat visage, ce n'avait pas été pour O. Car O aimait, avec passion, voir se répandre sur les visages cette buée qui les rend si lisses et si jeunes ; d'une jeunesse hors du temps, qui ne ramène pas à l'enfance, mais gonfle les lèvres, agrandit les yeux comme un fard, et fait les iris scintillants et clairs. L'admiration y avait plus de part que l'amour-propre, car ce n'était pas son ouvrage dont elle était émue : elle avait à Roissy éprouvé le même trouble devant le visage transfiguré d'une fille pos-

sédée par un inconnu. La nudité, l'abandon
des corps, la bouleversaient, et il lui semblait que ses amies lui faisaient un cadeau
dont elle ne pourrait jamais offrir l'équi-
valent quand elles consentaient seulement à
se montrer nues dans une chambre fermée.
Car la nudité des vacances, au soleil et sur
les plages, la laissait insensible — nullement
parce qu'elle était publique, mais parce que
d'être publique et de n'être pas absolue, elle
était en quelque mesure protégée. La beauté
des autres femmes, qu'avec une constante
générosité elle était encline à trouver supé-
rieur à la sienne, la rassurait cependant
sur sa propre beauté, où elle voyait, s'aper-
cevant dans des glaces inhabituelles, comme
un reflet de la leur. Le pouvoir qu'elle recon-
naissait à ses amies sur elle lui était en
même temps garant de son pouvoir à elle
sur les hommes. Et ce qu'elle demandait aux
femmes (et ne leur rendait pas, ou si peu),
elle était heureuse et trouvait naturel que
les hommes fussent acharnés à le lui demander. Ainsi était-elle à la fois et constamment
complice des unes et des autres, et gagnait
sur les deux tableaux. Il y avait des parties
difficiles. Qu'O fût amoureuse de Jacqueline,

ni moins ni plus qu'elle l'avait été de beaucoup d'autres, et en admettant que le terme
d'amoureuse (c'était beaucoup dire) fût
celui qui convînt, aucun doute. Mais pourquoi n'en montrait-elle rien ?

Quand les bourgeons éclatèrent sur les
peupliers des quais, et que le jour, plus
lent à mourir, permit aux amoureux de
s'asseoir dans les jardins, à la sortie des
bureaux, elle crut avoir enfin le courage
d'affronter Jacqueline. L'hiver, elle lui avait
paru trop triomphante sous ses fraîches
fourrures, trop irisée, intouchable, inaccessible. Et le savait. Le printemps la rendait
aux tailleurs, aux talons plats, aux chandails.
Elle ressemblait enfin, avec ses cheveux
courts coupés droit, aux lycéennes inso-
lentes qu'à seize ans O, lycéenne aussi,
saisissait par les poignets et tirait en silence
dans un vestiaire vide, et poussait contre
les manteaux accrochés. Les manteaux tombaient des patères, O se prenait de fou rire.
Elles portaient lès blouses d'uniforme, en
cotonnade grège, leurs initiales brodées de
coton rouge sur la poitrine. A trois ans d'in-
tervalle, à trois kilomètres de distance,
Jacqueline avait, dans un autre lycée, porté

les mêmes blouses. O l'apprit par hasard, un jour que Jacqueline posa pour des robes de maison, en soupirant que tout de même, si on en avait eu d'aussi jolies au lycée, on aurait été plus heureuse. Ou bien si on avait su porter, sans rien dessous, celles qu'on vous imposait. « Comment sans rien ? dit O. — Sans robe, voyons », répondit Jacqueline. Sur quoi O se mit à rougir. Elle ne s'habituait pas à être nue sous sa robe, et toute parole ambiguë lui semblait une allusion à sa condition. En vain se répétait-elle que l'on est toujours nue sous un vêtement. Non, elle se sentait nue comme cette Italienne de Vérone qui allait s'offrir au chef des assiégeants pour délivrer sa ville : nue sous un manteau qu'il suffisait d'entrouvrir. Il lui semblait aussi que c'était pour racheter quelque chose, comme l'Italienne, mais quoi ? Que Jacqueline était sûre d'elle, elle n'avait rien à racheter ; elle n'avait pas besoin d'être rassurée, il lui suffisait d'un miroir. O la regardait avec humilité, et songeait qu'on ne pouvait lui apporter, si l'on ne voulait pas en avoir honte, que des fleurs de magnolia, parce que leurs pétales épais et mats virent tout

doucement au bistre quand ils se fanent, ou
bien des camélias, parce qu'une lueur rose
se mêle quelquefois dans leur cire à la blancheur. A mesure que l'hiver s'éloignait, le
hâle léger qui dorait la peau de Jacqueline
s'effaçait avec le souvenir de la neige. Bientôt, il ne lui faudrait plus que des camélias.
Mais O craignit de se faire moquer d'elle,
avec ses fleurs de mélodrame. Elle apporta
un jour un gros bouquet de jacinthes bleues,
dont l'odeur est comme celle des tubéreuses,
et fait tourner la tête : huileuse, violente,
tenace, tout à fait celle que devraient avoir
les camélias, et qu'ils n'ont pas. Jacqueline
enfouit dans les fleurs raides et fraîches son
nez mongol, ses lèvres depuis quinze jours
fardées de rose, et non plus de rouge. Elle
dit : « C'est pour moi ? » comme font les
femmes à qui tout le monde fait tout le
temps des cadeaux. Puis elle dit merci, puis
elle demanda si René viendrait chercher O.
Oui, il viendrait, dit O. Il viendrait, se répétait-elle, et ce serait pour lui que Jacqueline,
faussement immobile, faussement muette,
lèverait une seconde ses yeux d'eau froide
qui ne regardaient pas en face. A elle, personne n'aurait besoin de rien apprendre :

ni à se taire, ni à laisser ses mains ouvertes
le long d'elle, ni à renverser la tête à demi.
O mourait d'envie de prendre à poignée
sur la nuque les cheveux trop clairs, de renverser tout à fait la tête docile, de suivre au
moins du doigt la ligne des sourcils. Mais
René en aurait envie aussi. Elle savait bien
pourquoi jadis intrépide elle était devenue
si timorée, pourquoi depuis deux mois elle
désirait Jacqueline sans se permettre un mot
ni un geste qui le lui avouât, et se donnait de
mauvaises raisons pour expliquer sa réserve.
Ce n'était pas vrai que Jacqueline fût intan-
gible. L'obstacle n'était pas en Jacqueline, il
était au cœur même d'O, et tel qu'elle n'en
avait jamais rencontré de semblable. C'est
que René la laissait libre, et qu'elle détestait
sa liberté. Sa liberté était pire que n'importe
quelle chaîne. Sa liberté la séparait de René.
Dix fois elle aurait pu, sans même parler,
prendre Jacqueline par les épaules, la clouer
des deux mains contre le mur comme on fait
d'un papillon avec une épingle ; Jacqueline
n'aurait pas bougé, ni sans doute seulement
souri. Mais O désormais était comme les bêtes
sauvages, qui ont été faites captives, et qui
servent d'appeau au chasseur, ou qui rabat-

tent pour lui, et ne bondissent que sur son ordre. C'est elle qui parfois pâle et tremblante, s'appuyait au mur obstinément clouée par son silence, attachée par son silence, et si heureuse de se taire. Elle attendait mieux qu'une permission, puisque la permission elle l'avait. Elle attendait un ordre. Il ne lui vint pas de René, mais de Sir Stephen.

A mesure que les mois passaient, depuis que René l'avait donnée à Sir Stephen, O s'apercevait avec effroi de l'importance grandissante que prenait celui-ci aux yeux de son amant. D'ailleurs elle concevait en même temps que peut-être, là-dessus, elle se trompait, imaginant une progression dans le fait ou dans le sentiment là où il n'y avait de progression que dans la reconnaissance de ce fait ou l'aveu de ce sentiment. Toujours est-il qu'elle avait vite remarqué que désormais René choisissait pour passer la nuit avec elle les nuits, et celles-là seulement, qui faisaient suite aux soirées où Sir Stephen la faisait venir (Sir Stephen ne la gardant jusqu'au matin que lorsque René était absent de Paris). Elle avait remarqué aussi que lorsqu'il restait présent à une de ces soirées, il ne touchait jamais O, sinon pour la mieux offrir à Sir Stephen et la maintenir à la disposition de celui-ci, si elle se débattait. C'était très rare qu'il restât, et il ne restait jamais qu'à la demande expresse de Sir Stephen. Il demeurait alors habillé, comme il avait fait la première fois, silencieux, allumant une cigarette à l'autre, ajoutant du bois au feu, servant à boire à Sir Stephen — mais lui-même ne buvait pas. O sentait qu'il la surveillait comme un dompteur surveille la bête qu'il a dressée, attentif à ce qu'elle lui fasse honneur par sa parfaite obéissance, mais bien plus encore comme auprès d'un prince un garde du corps, auprès d'un chef de bande un homme de main surveille la prostituée qu'il est allé lui chercher dans la rue. La preuve qu'il cédait bien là à une vocation de serviteur, ou d'acolyte, c'est qu'il guettait plus le visage de Sir Stephen que le sien — et O se sentait sous ses yeux dépossédée de la volupté même où ses traits se noyaient : il en reportait l'hommage, et l'admiration, et même la gratitude, à Sir Stephen qui l'avait fait naître, heureux qu'il consentît à prendre plaisir à quelque chose qu'il lui avait donné. Sans doute, tout aurait été plus simple si Sir Stephen avait aimé les garçons, et O ne doutait pas que René, qui ne les aimait pas, eût cependant accordé avec passion à Sir Stephen et les moindres et les plus exigeantes de ses demandes. Mais Sir Stephen n'aimait que les femmes. Elle se rendait compte que sous les espèces de son corps entre eux partagé, ils atteignaient à quelque chose de plus mystérieux et peut-être de plus aigu qu'une communion amoureuse, à une union dont la conception même lui était malaisée, mais dont elle ne pouvait nier la réalité et la force. Cependant, pourquoi ce partage était-il en quelque sorte abstrait ? A Roissy, O avait appartenu, dans le même instant, dans le même milieu, à René et à d'autres hommes. Pourquoi René, en présence de Sir Stephen, s'abstenait-il non seulement de la prendre, mais de lui donner des ordres ? (Il ne faisait jamais que transmettre ceux de Sir Stephen.) Elle lui posa la question, sûre par avance de la réponse. « Par respect, répondit René. — Mais je suis à toi, dit O. — Tu es à Sir Ste-

phen *d'abord*. » Et c'était vrai, en ce sens
tout au moins que l'abandon que René avait
fait d'elle à son ami était absolu, que les
moindres désirs de Sir Stephen la concer-
nant passaient avant les décisions de René,
ou avant ses demandes à elle. René avait-il
décidé qu'ils dîneraient tous deux, et iraient
au théâtre, si Sir Stephen lui téléphonait
une heure avant pour réclamer O, René
venait la chercher au studio comme ils en
étaient convenus, mais pour la conduire
jusqu'à la porte de Sir Stephen, et l'y laisser.
Une fois, une seule, O avait demandé à René
de prier Sir Stephen de changer de jour,
tant elle désirait accompagner René à une
soirée où ils devaient aller ensemble. René
avait refusé. « Mon pauvre petit, avait-il dit,
n'as-tu pas encore compris que tu ne t'appartiens plus, et que le maître qui dispose de
toi ce n'est plus moi ? » Non seulement il
avait refusé, mais il avait averti Sir Stephen
de la demande d'O, et devant elle, l'avait
prié de l'en punir assez cruellement pour
qu'elle n'osât plus seulement concevoir
qu'elle pût se dérober. « Certainement »,
avait répondu Sir Stephen. C'était dans la
petite pièce ovale, au plancher de marque-

terie, et dont le seul meuble était un gué-
ridon noir incrusté de nacre, qui ouvrait
sur le grand salon jaune et gris. René n'y
resta que les trois minutes nécessaires pour
trahir O et entendre la réponse de Sir Stephen. Puis il salua celui-ci de la main, sourit
à O et partit. Par la fenêtre elle le vit tra-
verser la cour ; il ne se retourna pas ; elle
entendit claquer la portière de la voiture, le
moteur ronfler, et aperçut, dans une petite
glace encastrée dans le mur, sa propre
image : elle était blanche de désespoir et
de peur. Puis machinalement, au moment
de passer devant Sir Stephen, qui ouvrait
pour elle la porte sur le salon et s'effaçait,
elle le regarda : il était aussi pâle qu'elle.
Comme dans un éclair, elle fut traversée par
la certitude, mais aussitôt évanouie, qu'il
l'aimait. Bien qu'elle n'y crût pas, et se
moquât en elle-même d'y avoir songé, elle
en fut réconfortée et se déshabilla docilement, sur son seul geste. Alors, et pour la
première fois depuis qu'il la faisait venir
deux ou trois fois par semaine, et usait
d'elle lentement, la faisant attendre nue
parfois une heure avant de l'approcher,
écoutant sans jamais lui répondre ses sup-

plications, car elle suppliait parfois, répétant les mêmes injonctions aux mêmes moments, comme dans un rituel, si bien qu'elle savait quand sa bouche le devait caresser, et quand à genoux, la tête enfouie dans la soie du sofa, elle ne devait lui offrir que ses reins, dont il s'emparait désormais sans la blesser, tant elle s'était ouverte à lui, pour la première fois, malgré la peur qui la décomposait — ou peut-être à cause de cette peur, malgré le désespoir où l'avait jetée la trahison de René, mais peut-être aussi à cause de ce désespoir — elle s'abandonna tout à fait. Et pour la première fois, si doux étaient ses yeux consentants lorsqu'ils rencontrèrent les clairs yeux brûlants de Sir Stephen, que celui-ci lui parla soudain en français et la tutoya : « O, je vais te mettre un bâillon, parce que je voudrais te fouetter jusqu'au sang, lui dit-il. Me le permets-tu ? — Je suis à vous », dit O. Elle était debout au milieu du salon, et ses bras levés et joints, que les bracelets de Roissy maintenaient par une chaînette à l'anneau du plafond d'où jadis pendait un lustre, faisaient saillir ses seins. Sir Stephen les caressa, puis les baisa, puis lui baisa la bouche, une fois, dix fois. (Jamais il ne l'avait embrassée.) Et quand il lui eut mis le bâillon, qui lui remplit la bouche de son goût de toile mouillée, et lui repoussa la langue au fond de la gorge, et sur lequel à peine ses dents pouvaient mordre, il la prit doucement aux cheveux. Balancée par la chaîne, elle chancelait sur ses pieds nus. « O, pardonne-moi », murmurat-il (jamais il ne lui avait demandé pardon), puis il la lâcha, et frappa.

Quand René revint chez O, à minuit passé, après être allé seul à la soirée où ils devaient aller ensemble, il la trouva couchée, frissonnante dans le nylon blanc de sa longue chemise de nuit. Sir Stephen l'avait ramenée et couchée lui-même, et encore embrassée. Elle le lui dit. Elle lui dit aussi qu'elle n'avait plus envie de ne pas obéir à Sir Stephen, comprenant bien que René en conclurait qu'il lui était nécessaire, et doux, d'être battue, ce qui était vrai (mais ce n'était pas la seule raison). Ce dont elle était en outre certaine, c'est qu'il était également nécessaire à René qu'elle le fût. Autant il avait horreur de la frapper, au point qu'il n'avait jamais pu se résoudre à le faire, autant il aimait la voir se débattre et l'entendre crier. Une seule fois devant lui Sir Stephen avait employé sur elle la cravache. René avait courbé O contre la table, et l'avait maintenue immobile. Sa jupe avait glissé : il l'avait relevée. Peut-être avait-il même encore davantage besoin de l'idée que pendant qu'il n'était pas avec elle, pendant qu'il se promenait, ou travaillait, O se tordait, gémissait et pleurait sous le fouet, demandait sa grâce et ne l'obtenait pas — et savait que cette douleur et cette humiliation lui étaient infligées par la volonté de l'amant qu'elle aimait, et pour son plaisir. A Roissy, il l'avait fait fouetter par les valets. En Sir Stephen, il avait trouvé le maître rigoureux que lui-même ne savait pas être. Le fait que l'homme qu'il admirait le plus au monde se plût à elle, et prît la peine de se la rendre docile, accroissait, O le voyait bien, la passion de René pour elle. Toutes les bouches qui avaient fouillé sa bouche, toutes les mains qui lui avait saisi les seins et le ventre, tous les sexes qui s'étaient enfoncés en elle, et qui avaient si parfaitement fait la preuve qu'elle était prostituée, l'avaient en même temps et en quelque sorte consacrée. Mais ce n'était rien, aux yeux de René, à côté de la preuve qu'apportait Sir Stephen. Chaque fois qu'elle sortait d'entre ses bras, René cherchait sur elle la marque d'un dieu. O savait bien que s'il l'avait trahie quelques heures plus tôt, c'était pour provoquer des marques nouvelles, et plus cruelles. Elle savait aussi que les raisons de les provoquer pouvaient disparaître, Sir Stephen ne reviendrait pas en arrière. Tant pis. (Mais c'est tant mieux qu'elle pensait.) René, bouleversé, regarda longuement le corps mince où d'épaisses balafres violettes faisaient comme des cordes en travers des épaules, du dos, des reins, du ventre et des seins, et parfois s'entrecroisaient. De place en place un peu de sang perlait. « Ah ! je t'aime », murmura-t-il. Il se déshabilla avec des mains tremblantes, ferma la lumière et s'étendit contre O. Elle gémit dans le noir, tout le temps qu'il la posséda.

Les balafres, sur le corps d'O, mirent près d'un mois à s'effacer. Encore lui resta-t-il, aux endroits où la peau avait éclaté, une

ligne un peu blanche, comme une très ancienne cicatrice. Mais aurait-elle pu en perdre le souvenir, qu'il lui aurait été rappelé
par l'attitude de René et de Sir Stephen.
Bien entendu, René avait une clef de l'appartement d'O. Il n'avait pas songé à en donner
une à Sir Stephen, probablement parce que
jusqu'ici jamais Sir Stephen n'avait marqué
le désir de venir chez O. Mais le fait qu'il
l'eût ramenée, ce soir-là, fit soudain comprendre à René que peut-être cette porte,
que seuls pouvaient ouvrir O et lui, serait
considérée par Sir Stephen comme un obstacle, comme une barrière, ou comme une
restriction voulue par René, et qu'il était
dérisoire de lui donner O s'il ne lui donnait
en même temps la liberté d'entrer chez
elle à tout moment. Bref, il fit faire une clef,
la remit à Sir Stephen, et n'avertit O que
lorsque Sir Stephen l'eut acceptée. Elle ne
songea pas à protester, et s'aperçut bientôt
qu'elle trouvait, dans l'attente où elle était
de la venue de Sir Stephen, une sérénité
incompréhensible. Elle attendit longtemps,
se demandant s'il la surprendrait en pleine
nuit, s'il profiterait d'une absence de René,
s'il viendrait seul, si même seulement il

viendrait. Elle n'osait en parler à René. Un matin où par hasard sa femme de ménage n'était pas là et où elle s'était levée plus tôt que de coutume, et à dix heures, déjà habillée, s'apprêtait à sortir, elle entendit une clef tourner dans la serrure, et s'élança en criant : « René » (car René venait ainsi quelquefois, et elle n'avait plus songé qu'à lui). C'était Sir Stephen, qui sourit, et lui dit : « Eh bien, appelons René. » Mais René, retenu à son bureau par un rendez-vous d'affaires, ne serait là que dans une heure. O, le cœur battant à grands coups dans la poitrine (et se demandant pourquoi), regarda Sir Stephen reposer le récepteur. Il la fit asseoir sur le lit, lui prit la tête entre les deux mains et lui entrouvrit la bouche pour l'embrasser. Si fort elle suffoqua qu'elle aurait glissé s'il ne l'eût retenue. Mais il la retint, et la redressa. Elle ne comprenait pas pourquoi un tel trouble, une telle angoisse lui serraient la gorge, car enfin, que pouvait-elle avoir à redouter de Sir Stephen qu'elle n'eût déjà éprouvé ? Il la pria de se mettre nue, et la regarda sans un mot lui obéir. N'avait-elle pas l'habitude, justement, d'être nue sous son regard, comme elle avait l'habitude de son silence, comme elle avait l'habitude d'attendre les décisions de son plaisir ? Elle dut reconnaître en elle-même qu'elle se faisait illusion, et que si elle était bouleversée par le lieu et par l'heure, par le fait que dans cette chambre elle n'avait jamais été nue que pour René, la raison essentielle de son trouble était bien toujours la même : la dépossession où elle était d'elle-même. La seule différence est que cette dépossession lui était rendue plus sensible par le fait qu'elle n'avait plus lieu dans un endroit où elle allait en quelque manière pour la subir, ni la nuit, participant par là du rêve, ou d'une existence clandestine, par rapport à la durée du jour comme Roissy avait été par rapport à la durée de sa vie avec René. La grande lumière d'un matin de mai rendait le clandestin au public : désormais la réalité de la nuit et la réalité du jour seraient la même réalité. Désormais — et O pensait : enfin. Voilà sans doute d'où naissait l'étrange sécurité, mêlée d'épouvante, à quoi elle sentait qu'elle s'abandonnait, et qu'elle avait pressentie sans la comprendre. Désormais, il n'y aurait plus d'hiatus, de temps mort, de rémission.

Celui qu'on attend, parce qu'on l'attend, est déjà présent, déjà maître. Sir Stephen était un maître autrement exigeant mais autrement sûr, que René. Et si passionnément qu'O aimât René, et lui elle, il y avait entre eux comme une égalité (quand ce n'aurait été que l'égalité d'âge), qui annulait en elle le sentiment de l'obéissance, la conscience de sa soumission. Ce qu'il lui demandait, elle le voulait aussitôt, uniquement parce qu'il le lui demandait. Mais on eût dit qu'il lui avait communiqué, à l'égard de Sir Stephen, sa propre admiration, son propre respect. Elle obéissait aux ordres de Sir Stephen comme à des ordres en tant que tels, et lui était reconnaissante qu'il les lui donnât. Qu'il lui parlât français ou anglais, la tutoyât ou lui dît vous, elle ne l'appelait jamais que Sir Stephen, comme une étrangère, ou comme une servante. Elle se disait que le mot « Seigneur » eût mieux convenu, si elle avait osé le prononcer, comme lui convenait à elle, en face de lui, le mot d'esclave. Elle se disait aussi que tout était bien, puisque René était heureux d'aimer en elle l'esclave de Sir Stephen. Donc, ses vêtements posés au pied du lit, ayant remis ses

mules à hauts talons, elle attendit les yeux
baissés, face à Sir Stephen, qui était appuyé
contre la fenêtre. Le grand soleil traversait
les rideaux de mousseline à pois, et déjà
chaud, lui tiédissait la hanche. O ne cherchait pas une contenance, mais songeait,
très vite, qu'elle aurait dû se parfumer
davantage, qu'elle ne s'était pas fardé la
pointe des seins, et qu'heureusement elle
avait ses mules, parce que le vernis de ses
ongles commençait à s'écailler. Puis elle
prit conscience soudain que ce qu'en fait
elle attendait, dans ce silence, dans cette
lumière, et ne s'avouait pas, c'est que Sir
Stephen lui fît signe ou lui ordonnât de se
mettre à genoux devant lui, de le défaire et
de le caresser. Mais non. D'être seule à y
avoir pensé, elle devint pourpre, et en même
temps qu'elle rougissait, se jugeait ridicule
de rougir : tant de pudeur chez une prostituée ! A cet instant, Sir Stephen pria O de
s'asseoir devant sa coiffeuse et de l'écouter.
La coiffeuse n'était pas une coiffeuse à
proprement parler, mais à côté d'une tablette basse dans le mur sur laquelle étaient
posés brosses et flacons, une grande psyché
Restauration où O, assise dans le petit fau-

teuil crapaud, pouvait se voir tout entière. Sir Stephen, en lui parlant, allait et venait derrière elle ; son reflet traversait de temps en temps la glace, derrière l'image d'O, mais un reflet qui semblait lointain, parce que l'eau du miroir était verte, et un peu trouble. O, mains desserrées et genoux disjoints, aurait voulu saisir le reflet, et l'arrêter, pour répondre plus facilement. Car Sir Stephen, dans un anglais précis, posait question sur question, les dernières qu'O eût pu imaginer qu'il poserait jamais, à supposer qu'il en posât. A peine avait-il commencé, cependant, qu'il s'interrompit pour renverser O dans le fauteuil, en la faisant glisser en avant ; sa jambe gauche relevée sur le bras du fauteuil, et l'autre légèrement repliée, O en pleine lumière s'offrit alors dans la glace à ses propres regards et aux regards de Sir Stephen aussi parfaitement ouverte que si un amant invisible s'était retiré d'elle pour la laisser entrebâillée. Sir Stephen reprit ses questions, avec une fermeté de juge, une adresse de confesseur. O ne le voyait pas parler, et se voyait répondre. Si elle avait, depuis qu'elle était revenue de Roissy, appartenu à d'autres hommes que René et

lui ? Non. Si elle avait désiré appartenir
à d'autres qu'elle eût rencontrés ? Non. Si
elle se caressait la nuit, quand elle était
seule ? Non. Si elle avait des amies dont elle
se laissât caresser ou qu'elle caressât ? Non
(le non était plus hésitant). Mais des amies
qu'elle désirât ? Eh bien Jacqueline, sauf
qu'amie était trop dire. Camarade serait
plus juste, ou encore compagne, comme les
filles bien élevées se désignent l'une l'autre
dans les pensionnats de bon ton. Là-dessus
Sir Stephen lui demanda si elle avait des
photos de Jacqueline, et l'aida à se lever,
pour qu'elle allât les chercher. Ce fut dans
le salon que René, entrant hors d'haleine,
car il avait monté les quatre étages en courant, les trouva : O était debout devant la
grande table où brillaient, noires et blanches,
comme des flaques d'eau dans la nuit, toutes
les images de Jacqueline. Sir Stephen, a
demi assis sur la table, les prenait une à
une à mesure qu'O les lui tendait, et les
reposait sur la table ; de l'autre main, il
tenait O au ventre. De cet instant Sir Stephen qui avait sans la lâcher dit bonjour à
René — elle sentait même qu'il enfonçait en
elle sa main plus avant — ne s'adressa plus

à elle mais à René. La raison lui en parut claire : René présent, l'accord entre Sir Stephen et lui s'établissait à propos d'elle, mais à part d'elle, elle n'en était que l'occasion ou l'objet, on n'avait plus à la questionner, elle n'avait plus à répondre, ce qu'elle devait faire, et même ce qu'elle devait être, se décidait en dehors d'elle. Midi approchait. Le soleil, tombant d'aplomb sur la table, roulait l'extrémité des photos. O voulut les déplacer, et les aplatir, pour éviter qu'elles ne fussent abîmées, incertaine de ses gestes, près de gémir, tant la main de Sir Stephen la brûlait. Elle n'y parvint pas, gémit en effet, et se retrouva couchée sur le dos par le travers de la table, au milieu des photos, où Sir Stephen, la quittant, l'avait brusquement jetée, les jambes écartées et pendantes. Ses pieds ne touchaient pas terre, une de ses mules lui échappa, glissa sans bruit sur le tapis blanc. Son visage était en plein dans le soleil : elle ferma les yeux.

Elle devait se souvenir, mais beaucoup plus tard, et sur le moment elle n'en fut pas frappée, qu'elle assista alors au dialogue entre Sir Stephen et René, ainsi gisante, comme s'il ne la concernait pas, et en même temps comme un événement déjà vécu. Et c'était vrai qu'elle avait déjà vécu une scène analogue ; puisque la première fois où René l'avait amenée chez Sir Stephen, ils avaient discuté d'elle de la même manière. Mais cette première fois, elle était inconnue à Sir Stephen, et des deux, René parlait le plus. Sir Stephen depuis l'avait pliée à toutes ses fantaisies, l'avait façonnée à sa mesure, avait exigé et obtenu d'elle comme allant de soi les plus outrageantes complaisances. Elle n'avait plus rien à livrer qu'il ne possédât déjà. Du moins elle le croyait. Il parlait, lui, généralement silencieux devant elle, et ses propos, comme ceux de René quand René répondait, montraient qu'ils reprenaient une conversation souvent engagée entre eux, dont elle était le sujet. Il s'agissait du meilleur parti qu'on pourrait tirer d'elle, et de mettre en commun ce que l'usage qu'ils faisaient d'elle avait appris à chacun. Sir Stephen reconnut volontiers qu'O était infiniment plus émouvante lorsque son corps portait des marques, quelles qu'elles fussent, ne serait-ce que parce que ces marques faisaient qu'elle ne pouvait tricher, et indiquaient aussitôt qu'on les voyait que tout était permis à son égard. Car le savoir était une chose ; en voir la preuve, et la preuve contamment renouvelée, une autre. René, dit Sir Stephen, avait eu raison de désirer qu'elle fût fouettée. Ils décidèrent qu'elle le serait, en dehors même du plaisir qu'on pouvait prendre à ses cris et à ses larmes, aussi souvent qu'il serait nécessaire pour que quelque trace en subsistât toujours sur elle. O écoutait, toujours renversée et brûlante et immobile, et il lui semblait que Sir Stephen, par une étrange substitution, parlait pour elle, et à sa place. Comme s'il avait été, lui, dans son propre corps, et qu'il eût éprouvé l'inquiétude, l'angoisse, la honte, mais aussi le secret orgueil et le plaisir déchirant qu'elle éprouvait, particulièrement lorsqu'elle était seule au milieu de passants, dans la rue, ou qu'elle montait dans un autobus, ou lorsqu'elle se trouvait au studio, avec les mannequins et les machinistes, à se dire que n'importe lequel des êtres devant qui elle était, s'il lui arrivait quelque accident, et qu'on dût l'étendre à terre ou appeler quelque médecin, garderait, même évanoui et nu, son secret, mais elle non : son secret ne tenait pas à son seul silence, ne dépendait pas d'elle seule. Elle ne pouvait, en aurait-elle eu envie, se permettre le moindre caprice — et c'était bien le sens d'une des questions de Sir Stephen — sans s'avouer elle-même aussitôt, elle ne pouvait se permettre les actes les plus innocents, jouer au tennis, ou nager. Il lui était doux que ce lui fût interdit, matériellement, comme la grille du couvent interdit matériellement aux filles cloîtrées de s'appartenir, et de s'échapper. Pour cette raison encore, comment courir la chance que Jacqueline ne la repoussât pas, sans courir en même temps le risque d'avoir à expliquer à Jacqueline, sinon la vérité, du moins une partie de la vérité ?

Le soleil avait tourné et quitté son visage. Ses épaules collaient au glacis des photos au travers desquelles elle était couchée, et elle sentait contre son genou le rebord rugueux de la veste de Sir Stephen qui s'était approché d'elle. René et lui la prirent chacun par une main et la remirent debout. René ramassa sa mule. Il fallait s'habiller. Ce fut pendant le déjeuner qui suivit à Saint-Cloud, au bord de la Seine, que Sir

Stephen, demeuré seul avec elle, recommença à l'interroger. Au pied d'une haie de troènes, qui délimitait l'esplanade ombragée où les tables du restaurant étaient groupées, couvertes de nappes blanches, courait une plate-bande de pivoines rouge sombre, à peine ouvertes. O mit longtemps à réchauffer, de ses cuisses nues, la chaise de fer où elle s'était assise obéissante, relevant ses jupes avant même que Sir Stephen lui fît signe. On entendait le bruissement de l'eau contre les barques accrochées à une plateforme de planches, au bout de l'esplanade. Sir Stephen faisait face à O, qui parlait lentement, décidée à ne pas dire un mot qui ne fût vrai. Ce que voulait savoir Sir Stephen, c'était pourquoi Jacqueline lui plaisait. Ah ! ce n'était pas difficile : c'est qu'elle était trop belle pour O, comme les poupées, aussi grandes qu'eux, qu'on donne aux enfants pauvres, et auxquelles ils n'osent jamais toucher. Et en même temps elle savait bien que si elle ne lui parlait pas, et ne l'approchait pas, c'est qu'elle n'en avait pas vraiment envie. Là, elle leva les yeux qu'elle avait tenus baissés vers les pivoines, et se rendit compte que Sir Stephen fixait

ses lèvres. L'écoutait-il, ou s'il était seulement attentif au son de sa voix, au mouvement de ses lèvres ? Elle se tut brusquement, et le regard de Sir Stephen remonta
et croisa son propre regard. Ce qu'elle y
lut était cette fois si clair, et il était si clair
pour lui qu'elle avait bien lu, que ce fut son
tour de pâlir. S'il l'aimait, lui pardonnerait-
il de s'en être aperçue ? Elle ne pouvait ni
détourner les yeux, ni sourire, ni parler.
S'il l'aimait, qu'y aurait-il de changé ? On
l'aurait menacée de mort, elle serait restée
pareillement incapable d'un geste, incapable
de fuir, ses genoux ne l'auraient pas portée.
Sans doute ne voudrait-il jamais rien d'elle
que la soumission à son désir, tant que
son désir durerait. Mais était-ce bien le
désir qui, depuis le jour où René la lui avait
remise, suffisait à expliquer qu'il la réclamât
et la retînt de plus en plus souvent, et quelquefois pour sa seule présence, et sans rien
lui demander ? Il était devant elle, muet
et immobile comme elle ; des hommes d'affaires, à la table voisine, discutaient en
buvant un café si noir et si fort que le parfum en venait jusqu'à leur propre table ;
deux Américaines, méprisantes et soignées,

au milieu de leur repas allumaient déjà des cigarettes ; le gravier crissait sous le pas des garçons — l'un d'eux avança pour remplir le verre de Sir Stephen, aux trois quarts vide, mais pourquoi verser à boire à une statue, à un somnambule ? Il n'insista pas. O sentit avec délices que si le regard gris et brûlant quittait ses yeux, c'était pour s'attacher à ses mains, à ses seins, pour revenir à ses yeux. Elle vit naître enfin une ombre de sourire, auquel elle osa répondre. Mais prononcer un seul mot, impossible. A peine si elle respirait. « O... », dit Sir Stephen. « Oui », dit O, toute faible. « O, ce dont je vais vous parler, j'en ai décidé avec René. Mais aussi, je... » Il s'interrompit. O ne sut jamais si c'était parce qu'elle avait fermé les yeux de saisissement, ou parce qu'à lui aussi, le souffle manquait. Il attendit, le garçon changeait les assiettes, apportait à O le menu pour qu'elle choisît le dessert. O le tendit à Sir Stephen. Un soufflé ? Oui, un soufflé. C'est vingt minutes. Bon, vingt minutes. Le garçon partit. « Il me faut plus de vingt minutes », dit Sir Stephen. Et il continua d'une voix égale, et ce qu'il dit eut vite fait de prouver à O qu'au moins une chose était sûre, c'est que s'il l'aimait, rien n'en serait changé, à moins de compter pour changement ce curieux respect, cette ardeur avec lesquels il lui disait : « Je serais heureux si vous vouliez bien... » au lieu de simplement la prier d'accéder à ses demandes. Il ne s'agissait pourtant que d'ordres auxquels il n'était pas question qu'O pût se soustraire. Elle le fit remarquer à Sir Stephen. Il le reconnut. « Répondez tout de même », dit-il. « Je ferai ce que vous voudrez », répondit O, et l'écho de ce qu'elle disait la frappa en retour : « Je ferai ce que tu voudras », disait-elle à René. Elle murmura : « René... » Sir Stephen l'entendit. « René sait ce que je veux de vous. Ecoutez-moi. » Il parlait en anglais, mais d'une voix basse et sourde, qu'on ne pouvait percevoir aux tables voisines. Quand les garçons s'approchaient, il cessait, recommençait au milieu de la phrase quand ils s'éloignaient. Ce qu'il disait semblait insolite dans ce lieu public et paisible, et pourtant le plus insolite était sans doute qu'il pût le dire, et O l'écouter, avec autant de naturel. Il lui rappela tout d'abord que le premier soir où elle était venue chez lui, il lui avait donné un ordre auquel elle n'avait pas obéi, et lui fit remarquer que bien qu'il l'eût alors giflée, il n'avait jamais depuis renouvelé son ordre. Lui accorderait-elle désormais ce qu'elle lui avait alors refusé ? O comprit qu'il ne fallait pas seulement acquiescer, mais qu'il voulait entendre de sa bouche, en propres termes, que oui, elle se caresserait, chaque fois qu'il le lui demanderait. Elle le dit, et revit le salon jaune et gris, le départ de René, sa révolte du premier soir, le feu qui brillait entre ses genoux desserrés, quand elle était couchée nue sur le tapis. Ce soir, dans ce même salon... Mais non, Sir Stephen ne précisait pas, et continuait. Il lui fit remarquer aussi qu'elle n'avait jamais été, en sa présence, possédée par René (ni par personne d'autre) comme elle l'avait été en présence de René par lui (et à Roissy, par bien d'autres hommes). Elle n'en devait pas conclure que de René seul lui viendrait l'humiliation de se livrer à un homme qui ne l'aimait pas — et peut-être d'y prendre plaisir — devant un homme qui l'aimait. (Il insistait, si longuement, si brutalement : elle ouvrirait bientôt son ventre et ses reins, et sa bouche à ceux de ses amis qui auraient envie d'elle, quand ils l'auraient rencontrée

— qu'O douta si cette brutalité ne s'adressait pas à lui autant qu'à elle, et elle ne retint que la fin de la phrase : un homme qui l'aimait. Quel autre aveu voulait-elle ?) D'ailleurs, il la ramènerait lui-même à Roissy, dans le cours de l'été. Ne s'était-elle jamais étonnée de l'isolement où René d'abord, et lui ensuite, la maintenaient ? Elle les voyait seuls, soit ensemble, soit tour à tour. Lorsque Sir Stephen recevait dans sa maison de la rue de Poitiers, il n'invitait pas O. Jamais elle n'avait déjeuné ou dîné chez lui. Jamais non plus René ne lui avait, en dehors de Sir Stephen, présenté ses amis. Il continuerait sans doute à la tenir à l'écart, car Sir Stephen détenait désormais le privilège de disposer d'elle. Qu'elle ne crût pas que d'être à lui, elle serait moins en charte privée ; au contraire. (Mais ce qui frappait O en plein cœur, c'est que Sir Stephen allait être avec elle comme était René, exactement, identiquement.) L'anneau de fer et d'or qu'elle portait à la main gauche — et se souvenait-elle qu'il lui avait été choisi si étroit qu'il avait fallu forcer pour y faire entrer son annulaire ? elle ne pouvait pas l'ôter — était signe qu'elle était esclave, mais esclave commune. Le hasard avait voulu qu'elle n'eût pas rencontré, depuis l'automne, d'affiliés de Roissy, qui eussent remarqué ses fers, ou manifesté qu'ils les remarquaient. Le mot de fers, employé au pluriel, où elle avait vu une équivoque lorsque Sir Stephen lui avait dit que les fers lui allaient bien, n'était nullement une équivoque, mais une formule de reconnaissance. Sir Stephen n'avait pas eu à utiliser la seconde formule : à savoir, à qui étaient les fers qu'elle portait. Mais si la question était aujourd'hui posée à O, que répondrait-elle ? O hésita. « A René et à vous, dit-elle. — Non, dit Sir Stephen, à moi. René désire que vous releviez d'abord de moi. » O le savait bien, pourquoi trichait-elle ? D'ici quelque temps, et en tout cas avant qu'elle ne retourne à Roissy, elle aurait à accepter une marque définitive, qui ne la dispenserait pas d'être esclave commune, mais la désignerait, en outre, comme esclave particulière, la sienne, et auprès de laquelle les traces sur son corps de coups de fouet ou de cravache, fussent-elles renouvelées, seraient discrètes et futiles. (Mais quelle marque, en quoi consisterait-elle, comment serait-elle définitive ? O terri-

fiée, fascinée, mourait du besoin de savoir,
et de savoir tout de suite. Mais évidemment
Sir Stephen ne s'expliquerait pas encore.
Et c'était vrai qu'il lui faudrait accepter,
consentir au vrai sens du mot, car rien ne
lui serait infligé de force, à quoi elle n'eût
consenti d'abord, elle pouvait refuser, rien
ne la retenait dans son esclavage, que
son amour et son esclavage mêmes.
Qu'est-ce qui l'empêchait de partir ?) Cependant, avant que cette marque ne lui fût im-
posée, avant même que Sir Stephen ne prît
l'habitude, comme il en avait été décidé avec
René, de la fouetter de telle manière que
les traces en soient constamment visibles,
il lui serait laissé un sursis — le temps qu'il
faudrait pour qu'elle amenât Jacqueline à
lui céder. Ici, O stupéfaite releva la tête et
regarda Sir Stephen. Pourquoi ? Pourquoi
Jacqueline ? Et si Jacqueline intéressait
Sir Stephen, pourquoi était-ce par rapport
à O ? « Il y a deux raisons, dit Sir Stephen.
La première, et la moins importante, est que
je désire vous voir embrasser et caresser
une femme. — Mais comment voulez-vous,
s'écria O, que j'obtienne, en admettant
qu'elle veuille bien de moi, son consentement

à votre présence ? — Ce n'est que peu de chose, dit Sir Stephen, par trahison au besoin, et je compte que vous obtiendrez bien davantage, car la seconde raison pourquoi je désire qu'elle soit à vous, c'est qu'il vous faudra l'emmener à Roissy. » O reposa la tasse de café qu'elle tenait à la main, tremblant si fort qu'elle renversa sur la nappe le fond mêlé de marc et de sucre qui y restait encore. Comme une devineresse, elle voyait dans la tache brune qui s'élargissait des images insoutenables : les yeux glacés de Jacqueline devant le valet Pierre, ses hanches, sans doute aussi dorées que ses seins, et qu'O ne connaissait pas, offertes dans sa grande robe de velours rouge retroussée, sur le duvet de ses joues des larmes et sa bouche fardée ouverte et criant, et ses cheveux droits comme paille fauchée sur son front, non c'était impossible, non pas elle, pas Jacqueline. « Ce n'est pas possible, dit-elle. — Si, répliqua Sir Stephen. Et comment croyez-vous que se recrutent les filles pour Roissy ? Une fois que vous l'aurez amenée, rien ne vous regardera plus et d'ailleurs, si elle veut partir, elle partira. Venez. » Il s'était levé brusquement, laissant sur la table l'argent de l'addition. O le suivit jusqu'à la voiture, monta, s'assit. A peine eurent-ils pénétré dans le Bois qu'il fit un détour pour se ranger dans une petite contre-allée, et la prit dans ses bras.

III

ANNE-MARIE ET LES ANNEAUX

O avait cru, ou voulu croire, pour se donner des excuses, que Jacqueline serait farouche. Elle fut détrompée aussitôt qu'elle voulut l'être. Les airs pudiques que prenait
Jacqueline, fermant la porte de la petite
pièce au miroir où elle mettait et enlevait
ses robes, étaient précisément destinés à
aguicher O, à lui donner envie de forcer
une porte que, grande ouverte, elle ne se
décidait pas à franchir. Que la décision d'O
vînt finalement d'une autorité en dehors

d'elle, et ne fût pas le résultat de cette élémentaire stratégie, Jacqueline était à mille lieues d'y penser. O s'en amusa d'abord. Elle éprouvait un surprenant plaisir, alors qu'elle aidait Jacqueline à se recoiffer, par exemple, lorsque Jacqueline, ayant quitté les vêtements dans lesquels elle avait posé, mettait son chandail serré au cou, et le collier de turquoises pareilles à ses yeux, à l'idée que le même soir Sir Stephen saurait chacun des gestes de Jacqueline, si elle avait laissé O saisir ses deux seins écartés et petits, à travers le chandail noir, si ses paupières avaient abaissé sur sa joue ses cils plus clairs que sa peau, si elle avait gémi. Quand O l'embrassait, elle devenait toute lourde, immobile et comme attentive dans ses bras, laissait entrouvrir sa bouche et tirer à la renverse ses cheveux. Il fallait toujours qu'O prît garde de l'appuyer au chambranle d'une porte, ou contre une table, et de la tenir aux épaules. Autrement elle aurait glissé sur le sol, les yeux fermés, sans une plainte. Sitôt qu'O la lâchait, elle redevenait de givre et de glace, riante et étrangère, disait : « Vous m'avez mis du rouge » et s'essuyait la bouche. C'est cette étrangère qu'O aimait trahir en prenant si soigneusement garde — pour n'en oublier rien de tout redire — à la lente rougeur de ses joues, à l'odeur de sauge de sa sueur. On ne pouvait pas dire que Jacqueline se défendît, ni se méfiât. Quand elle cédait aux baisers — et elle n'avait encore accordé à O que des baisers, qu'elle laissait prendre et ne rendait pas —, elle cédait brusquement, et l'on aurait dit entièrement, devenant soudain quelqu'un d'autre, pendant dix secondes, pendant cinq minutes. Le reste du temps, elle était à la fois provocante et fuyante, d'une incroyable habileté à l'esquive, s'arrangeant sans jamais une faute pour ne donner prise ni à un geste, ni à un mot, ni même à un regard qui permît de faire coïncider cette triomphante avec cette vaincue, et de faire croire qu'il était si facile de forcer sa bouche. Le seul indice par quoi l'on pût se guider, et soupçonner peut-être le trouble proche sous l'eau de son regard, était parfois comme l'ombre involontaire d'un sourire, semblable sur son visage triangulaire à un sourire de chat, également indécis et fugace, également inquiétant. O cependant ne fut pas longue à

remarquer que deux choses le faisaient naître, sans que Jacqueline en eût conscience.
La première était les cadeaux qu'on lui faisait, la seconde l'évidence du désir qu'elle
inspirait — à condition toutefois que ce désir
vînt de quelqu'un qui pût lui être utile ou
la flattât. A quoi donc O lui était-elle
utile ? Ou si par exception Jacqueline prenait simplement plaisir à être désirée d'elle,
à la fois parce que l'admiration que lui
portait O lui était un réconfort, et aussi
parce que le désir d'une femme est sans
danger et sans conséquences ? O était toutefois persuadée que si elle avait offert à
Jacqueline, au lieu de lui apporter un clip
de nacre ou le dernier foulard d'Hermès, où
« Je vous aime » était imprimé dans toutes
les langues de l'univers, du japonais à l'iro-
quois, les dix ou vingt mille francs qui
semblaient constamment lui manquer, Jacqueline aurait cessé de n'avoir autant dire
jamais le temps de venir déjeuner ou goûter
chez O, ou cessé d'esquiver ses caresses.
Mais O n'en eut jamais la preuve. A peine
en avait-elle parlé à Sir Stephen, qui lui
reprochait sa lenteur, que René intervint.
Les cinq ou six fois où René était venu

chercher O, et où Jacqueline s'était trouvée
là, tous trois étaient allés ensemble soit au
Weber, soit dans un des bars anglais qui
avoisinent la Madeleine ; René regardait Jacqueline avec exactement le mélange d'intérêt, d'assurance et d'insolence avec lequel
il regardait à Roissy les filles qui étaient à
sa disposition. Sur la brillante et solide
armure de Jacqueline, l'insolence glissait
sans rien entamer, Jacqueline ne la percevait même pas. Par une curieuse contradiction, O en fut atteinte, trouvant insultante
envers Jacqueline une attitude qu'elle
trouvait juste et naturelle envers elle-même.
Voulait-elle prendre la défense de Jacqueline, ou désirait-elle être seule à la posséder ?
Il lui eût été bien difficile de le dire, et
d'autant plus qu'elle ne la possédait pas
— pas encore. Mais si elle y parvint, il faut
bien reconnaître que ce fut grâce à René.
A trois reprises, sortant du bar, où il avait
fait boire à Jacqueline beaucoup plus de
whisky qu'elle n'aurait dû — ses pommettes
devenaient roses et luisantes, et ses yeux
durs —, il l'avait reconduite chez elle, avant
d'aller avec O chez Sir Stephen. Jacqueline
habitait une de ces sombres pensions de

famille de **Passy** où s'étaient entassés les Russes blancs aux premiers jours de l'émigration, et dont ils n'avaient plus jamais bougé. Le vestibule était peint en simili-chêne, les balustres de l'escalier, dans leurs creux, étaient couverts de poussière, et de grandes marques blanches d'usure marquaient les moquettes vertes. Chaque fois René — qui n'avait jamais franchi la porte — voulait entrer, chaque fois Jacqueline criait non, criait merci beaucoup, et sautait à bas de la voiture, et claquait la porte derrière elle comme si quelque langue de flamme eût dû soudain l'atteindre et la brûler. Et c'est vrai, se disait O, qu'elle était poursuivie par le feu. Il était admirable qu'elle le devinât, quand rien encore ne l'en avait instruite. Au moins savait-elle qu'il lui fallait prendre garde à René, si insensible qu'elle parût être à son détachement (mais l'était-elle ? et pour ce qui était de paraître insensible, ils étaient deux de jeu, car il la valait bien). O avait compris la seule fois où Jacqueline l'avait laissée entrer dans sa maison, et la suivre dans sa chambre, pourquoi elle refusait si farouchement à René la permission d'y pénétrer. Que serait devenu

son prestige, sa légende noire et blanche
sur les pages vernies des luxueuses revues
de mode, si quelqu'un d'autre qu'une femme
comme elle avait vu de quelle sordide tanière
sortait chaque jour la bête lustrée ? Le lit
n'était jamais fait, à peine était-il recouvert,
et le drap qu'on apercevait était gris et
gras, parce que Jacqueline ne se couchait
jamais sans masser son visage de crème, et
s'endormait trop vite pour penser à
l'essuyer. Un rideau devait masquer jadis
le cabinet de toilette, il restait deux anneaux
sur la tringle, d'où pendaient quelques brins
de fil. Rien n'avait plus de couleur, ni le
tapis, ni le papier dont les fleurs roses et
grises grimpaient comme une végétation
devenue folle et pétrifiée sur un faux treil-
lage blanc. Il aurait fallu tout arracher,
mettre les murs à nu, jeter les tapis, décaper
le plancher. En tout cas, tout de suite,
enlever les lignes de crasse qui, comme des
strates, rayaient l'émail du lavabo, tout de
suite essuyer et ranger en ordre les flacons
de démaquillant et les boîtes de crème,
essuyer le poudrier, essuyer la coiffeuse,
jeter les cotons sales, ouvrir les fenêtres.
Mais droite et fraîche et propre et sentant

la citronnelle et les fleurs sauvages, impec-
cable, insalissable, Jacqueline se moquait
bien de son taudis. Par contre, ce dont elle
ne se moquait pas, et qui lui pesait, c'était
sa famille. Ce fut à cause du taudis, dont
O avait eu la candeur de parler, que René
suggéra à O la proposition qui devait changer leur vie, mais à cause de sa famille que
Jacqueline l'accepta. C'était que Jacqueline
vînt habiter chez O. Une famille, c'était peu
dire, une tribu, ou plutôt une horde. Grand-
mère, tante, mère, et même une servante,
quatre femmes entre soixante-dix et cinquante ans, fardées, criantes, étouffées sous
les soies noires et le jais, sanglotant à
quatre heures du matin dans la fumée des
cigarettes à la petite lueur rouge des icônes,
quatre femmes dans le cliquetis des verres
de thé et le chuintement rocailleux d'une
langue que Jacqueline aurait donné la moitié
de sa vie pour oublier, elle devenait folle
d'avoir à leur obéir, à les entendre, et seulement à les voir. Quand elle voyait sa mère
porter un morceau de sucre à sa bouche
pour boire son thé, elle reposait son
propre verre, elle regagnait sa bauge poussiéreuse et sèche, et les laissait toutes les

trois, sa grand-mère, sa mère, la sœur de sa mère, toutes les trois noires de cheveux teints et de sourcils rapprochés, avec de grands yeux de biche réprobateurs, dans la chambre de sa mère qui servait de salon, et où la servante finissait par leur ressembler. Elle fuyait, claquait les portes derrière elle, et on criait après elle « Choura, Choura, petite colombe », comme dans les romans de Tolstoï, car elle ne s'appelait pas Jacqueline. Jacqueline était un nom pour son métier, un nom pour oublier son vrai nom, et avec son vrai nom le gynécée sordide et tendre, pour s'établir au jour français, dans un monde solide où il existe des hommes qui vous épousent, et qui ne disparaissent pas dans de mystérieuses expéditions comme son père qu'elle n'avait jamais connu, marin balte perdu dans les glaces du pôle. A lui seul elle ressemblait, se disait-elle avec rage et délices, à lui dont elle avait les cheveux et les pommettes, et la peau bise et les yeux tirés vers les tempes. La seule reconnaissance qu'elle se sentît envers sa mère était de lui avoir donné pour père ce démon clair, que la neige avait repris comme la terre reprend les autres hommes. Mais elle

lui en voulait de l'avoir assez oublié pour
qu'un beau jour soit née, d'une brève liaison,
une petite fille noiraude, une demi-sœur
déclarée de père inconnu, qui s'appelait Natalie, et avait maintenant quinze ans. On ne
voyait Natalie qu'aux vacances. Son père,
jamais. Mais il payait la pension de Natalie
dans un lycée voisin de Paris, et à la mère
de Natalie une rente de quoi vivaient médio-
crement, dans une oisiveté qui leur était un
paradis, les trois femmes et la servante
— et même Jacqueline, jusqu'à ce jour. Ce
que Jacqueline gagnait, à son métier de
mannequin, ou comme on disait à l'américaine, de modèle, lorsqu'elle ne le dépensait
pas en fards ou en lingerie, ou en chaussures de grand bottier, ou costumes de grand
couturier — à prix de faveur, mais c'était
encore très cher — s'engouffrait dans la
bourse familiale, et disparaissait on ne savait
à quoi. Assurément, Jacqueline aurait pu se
faire entretenir, et l'occasion ne lui avait pas
manqué. Elle avait accepté un ou deux
amants, moins parce qu'ils lui plaisaient —
ils ne lui déplaisaient pas —, que pour se
prouver qu'elle était capable d'inspirer le désir et l'amour. Le seul des deux — le second

— qui fût riche lui avait fait cadeau d'une
très belle perle un peu rose qu'elle portait
à la main gauche, mais elle avait refusé
d'habiter avec lui, et comme lui refusait de
l'épouser, elle l'avait quitté, sans beaucoup
de regrets, et soulagée de n'être pas enceinte
(elle avait cru l'être, pendant quelques jours
avait vécu dans l'épouvante). Non, habiter
avec un amant, c'était perdre la face, perdre
ses chances d'avenir, c'était faire ce que sa
mère avait fait avec le père de Natalie, c'était
impossible. Mais avec O, tout changeait. Une
fiction polie permettrait de laisser croire
que Jacqueline s'installait simplement avec
une camarade, et partageait avec elle. O ser-
virait deux buts à la fois, jouerait auprès
de Jacqueline le rôle de l'amant qui fait
vivre ou aide à vivre la fille qu'il aime, et
le rôle en principe opposé de caution morale.
La présence de René n'était pas assez offi-
cielle pour que la fiction risquât d'être com-
promise. Mais à l'arrière-plan de la décision
de Jacqueline, qui dira si cette même présence n'avait pas été le vrai mobile de son
acceptation ? Toujours est-il qu'il appartint
à O, et à O seule, de faire auprès de la
mère de Jacqueline une démarche. Jamais

O n'eut aussi vivement le sentiment d'être le traître, l'espion, l'envoyé d'une organisation criminelle, que lorsqu'elle se trouva devant cette femme qui la remerciait de son amitié pour sa fille. En même temps, au fond de son cœur, elle niait sa mission, et la raison de sa présence. Oui, Jacqueline viendrait chez elle, mais jamais O ne pourrait, jamais, obéir assez bien à Sir Stephen pour entraîner Jacqueline. Et pourtant... Car à peine Jacqueline fut-elle installée chez O, où elle se vit attribuer — et sur la demande de René — la chambre que celui-ci faisait parfois semblant d'occuper (semblant, étant donné qu'il dormait toujours dans le grand lit d'O), qu'O se trouva contre toute attente surprise par le violent désir de posséder Jacqueline coûte que coûte, et dût-elle pour y parvenir, la livrer. Après tout, se disait-elle, la beauté de Jacqueline suffit bien à la protéger, qu'ai-je à m'en mêler, et si elle doit être réduite où j'en suis réduite, est-ce un si grand mal ? — s'avouant à peine, et pourtant bouleversée d'imaginer quelle douceur il y aurait à voir Jacqueline nue et sans défense auprès d'elle, et comme elle.

La semaine où Jacqueline s'installa, toute

permission ayant été donnée par sa mère, René se montra fort empressé, invitant un jour sur deux les jeunes filles à dîner, et les emmenant voir des films, qu'il choisissait curieusement parmi les films policiers, histoires de trafiquants de drogue, ou de traite des blanches. Il s'asseyait entre elles deux, prenait doucement la main à chacune, et ne disait mot. Mais O le voyait à chaque scène de violence, guetter une émotion sur le visage de Jacqueline. On n'y lisait qu'un peu de dégoût, qui abaissait les coins de sa bouche. Puis il les reconduisait, et dans la voiture découverte, vitres baissées, le vent de la nuit et la vitesse rabattaient sur les joues dures et sur le petit front, et jusque dans les yeux de Jacqueline, ses cheveux clairs et touffus. Elle secouait la tête pour les remettre en place, y passait la main comme font les garçons. Une fois admis qu'elle était chez O, et qu'O était la maîtresse de René, Jacqueline semblait trouver de ce fait naturelles les familiarités de René. Elle admettait sans broncher que René pénétrât dans sa chambre, sous prétexte qu'il y avait oublié quelque document, ce qui n'était pas vrai, O le savait, elle avait elle-même vidé les tiroirs du grand secrétaire hollandais, fleuri de marqueterie, à l'abattant doublé de cuir toujours ouvert, et qui allait si mal avec René. Pourquoi l'avait-il ? De qui le tenait-il ? Sa lourde élégance, ses bois clairs, étaient le seul luxe de la pièce un peu sombre, qui ouvrait au nord, sur la cour, et dont les murs gris couleur d'acier, et le plancher bien ciré et froid faisaient contraste avec les pièces souriantes sur le quai. C'était très bien, Jacqueline ne s'y plairait pas. Elle accepterait d'autant plus facilement de partager avec O les deux pièces de devant, de dormir avec O, comme elle avait accepté du premier jour de partager la salle de bains et la cuisine, les fards, les parfums, les repas. En quoi O se trompait. Jacqueline était passionnément attachée à ce qui lui appartenait — à sa perle rose, par exemple — mais d'une indifférence absolue à ce qui ne lui appartenait pas. Logée dans un palais, elle ne s'y serait intéressée que si on lui eût dit : le palais est à vous, et qu'on le lui eût prouvé, par acte notarié. Que la chambre grise fût plaisante ou non lui était bien égal, et ce ne fut pas pour y échapper qu'elle vint coucher dans le lit d'O. Pas davantage pour prouver à O une reconnaissance qu'elle n'éprouvait pas — et que cependant O lui prêta, heureuse en même temps d'en abuser, à ce qu'elle croyait. Jacqueline aimait le plaisir, et trouvait agréable et pratique de le recevoir d'une femme, entre les mains de qui elle ne risquait rien.

Cinq jours après avoir défait ses valises, dont O l'avait aidée à ranger le contenu, quand René les eut pour la première fois ramenées, vers les dix heures, après avoir dîné avec elles, et fut parti — car il partit comme les deux autres fois —, elle apparut simplement, nue et encore moite de son bain, dans l'encadrement de la porte de la chambre d'O, dit à O : « Il ne revient pas, vous êtes sûre ? » et, sans même attendre la réponse, se glissa dans le grand lit. Elle se laissa embrasser et caresser, les yeux fermés, sans répondre par une seule caresse, gémit d'abord à peine, puis plus fort, puis encore plus fort, et enfin cria. Elle s'endormit dans la pleine lumière de la lampe rose, en travers du lit, genoux retombés et disjoints, le buste un peu de côté, les mains ouvertes. On voyait briller la sueur entre ses seins. O la recouvrit, éteignit. Deux heures plus tard, quand elle la reprit, dans le noir, Jacqueline se laissa faire, mais murmura : « Ne me fatigue pas trop, je me lève tôt demain. »

Ce fut le temps où Jacqueline, outre son métier intermittent de modèle, commença d'exercer un métier non moins irrégulier, mais plus absorbant : elle fut engagée pour tourner de petits rôles. Il était difficile de savoir si elle en était fière ou non, si elle y voyait ou non le premier pas dans une carrière où elle eût désiré devenir célèbre. Elle s'arrachait du lit le matin, avec plus de rage que d'élan, se douchait et se fardait à la hâte, n'acceptait que la grande tasse de café noir qu'O avait eu juste le temps de lui préparer, et se laissait baiser le bout des doigts, avec un sourire machinal et un regard plein de rancune : O était douce et tiède dans sa robe de chambre de vigogne blanche, les cheveux brossés, le visage lavé, l'air de quelqu'un qui va dormir encore. Pourtant ce n'était pas vrai. O n'avait pas encore osé expliquer pourquoi à Jacqueline. La vérité était que chacun des jours où Jacqueline partait, à l'heure où les enfants vont en classe et les petits employés à leur bureau, pour le studio de Boulogne où elle tournait, O qui jadis en effet demeurait chez elle presque toute la matinée s'habillait à son tour : « Je vous envoie ma voiture, avait dit Sir Stephen, elle emmènera Jacqueline à Boulogne, puis reviendra vous chercher. » Si bien qu'O se trouva se rendre chaque matin chez Sir Stephen, quand le soleil sur sa route ne frappait encore que l'est des façades ; les autres murs étaient frais, mais dans les jardins l'ombre se raccourcissait sous les arbres. Rue de Poitiers, le ménage n'était pas fini. Norah la mulâtresse conduisait O dans la chambre où le premier soir Sir Stephen l'avait laissée dormir et pleurer seule, attendait qu'O eût déposé ses gants, son sac et ses vêtements, sur le lit pour les prendre et les ranger devant O dans un placard dont elle gardait la clef, puis ayant donné à O des mules à hauts talons, vernies, qui claquaient quand elle marchait, la précédait, ouvrant les portes devant elle, jusqu'à la porte du bureau de Sir Stephen, où elle s'effaçait pour la faire passer. O ne s'habitua jamais à ses préparatifs, et se mettre nue devant cette vieille femme patiente qui ne lui

parlait pas et la regardait à peine, lui semblait aussi redoutable que d'être nue à
Roissy sous les regards des valets. Sur des
chaussons de feutre, comme une religieuse,
la vieille mulâtresse glissait en silence. O
ne pouvait quitter des yeux, tout le temps
qu'elle la suivait, les deux pointes de son
madras, et chaque fois qu'elle ouvrait une
porte, sur la poignée de porcelaine sa main
bistre et maigre, qui semblait dure comme
du vieux bois. En même temps, par un sentiment absolument opposé à l'effroi qu'elle lui
inspirait — et dont O ne s'expliquait pas la
contradiction —, O éprouvait une sorte de
fierté à ce que cette servante de Sir Stephen
(qu'était-elle à Sir Stephen, et pourquoi lui
confiait-il ce rôle d'appareilleuse qu'elle semblait si mal faite pour remplir ?) fût témoin
qu'elle aussi — comme d'autres peut-être,
de la même manière amenées par elle, qui
sait ? — méritait d'être utilisée par Sir Stephen. Car Sir Stephen l'aimait peut-être,
l'aimait sans doute, et O sentait que le
moment n'était pas éloigné où il allait non
plus le lui laisser entendre, mais le lui
dire — mais dans la mesure même où son
amour pour elle, et son désir d'elle, allaient

croissant, il était avec elle plus longuement, plus lentement, plus minutieusement exigeant. Ainsi gardée auprès de lui les matinées entières, où parfois il la touchait à peine, voulant seulement être caressé d'elle, elle se prêtait à ce qu'il lui demandait avec ce qu'il faut bien appeler de la reconnaissance, plus grande encore lorsque la demande prenait la forme d'un ordre. Chaque abandon lui était le gage qu'un autre abandon serait exigé d'elle, de chacun elle s'acquittait comme d'un dû ; il était étrange qu'elle en fût comblée : cependant elle l'était. Le bureau de Sir Stephen, situé au-dessus du salon jaune et gris où il se tenait le soir, était plus étroit, et plus bas de plafond. Il n'y avait ni canapé ni divan, mais seulement deux fauteuils Régence couverts de tapisserie à fleurs. O s'y asseyait parfois, mais Sir Stephen préférait généralement la tenir plus près de lui, à portée de la main et pendant qu'il ne s'occupait pas d'elle, l'avoir pourtant assise sur son bureau, à sa gauche. Le bureau était placé perpendiculairement au mur, O pouvait s'accoter aux rayonnages qui portaient quelques dictionnaires et des annuaires reliés. Le téléphone

était contre sa cuisse gauche, et elle tres-
saillait à chaque fois que la sonnerie reten-
tissait. C'est elle qui décrochait, et répondait, disait : « De la part de qui ? », répétait
le nom tout haut et ou bien passait la communication à Sir Stephen, ou bien l'excusait,
suivant le signe qu'il lui faisait. Quand il
avait à recevoir quelqu'un, la vieille Norah
l'annonçait, Sir Stephen faisait attendre, le
temps pour Norah de remmener O dans la
chambre où elle s'était déshabillée et, où
Norah venait la rechercher quand Sir Stephen, son visiteur étant parti, sonnait.
Comme Norah entrait et sortait du bureau
plusieurs fois tous les matins, soit pour
apporter à Sir Stephen du café, ou le cour-
rier, soit pour ouvrir ou tirer les persiennes,
ou vider les cendriers, qu'elle était seule à
avoir le droit d'entrer, mais avait aussi
l'ordre de ne jamais frapper, et enfin qu'elle
attendait toujours en silence, quand elle
avait quelque chose à dire, que Sir Stephen
lui adressât la parole, il arriva qu'une fois
O se trouva courbée sur le bureau, la tête et
les bras appuyés contre le cuir, la croupe
offerte, attendant que Sir Stephen la pénétrât, au moment où Norah entrait. Elle leva

la tête. Norah ne l'eût pas regardée, comme elle faisait toujours, elle n'eût pas autrement bougé. Mais cette fois, il était clair que Norah voulait rencontrer le regard d'O. Ces yeux noirs brillants et durs fixés sur les siens, dont on ne savait s'ils étaient ou non indifférents, dans un visage raviné et immobile, troublèrent si bien O qu'elle eut un mouvement pour échapper à Sir Stephen. Il comprit ; lui appuya d'une main la taille contre la table pour qu'elle ne pût glisser, l'entrouvrant de l'autre. Elle qui se prêtait toujours de son mieux était malgré elle contractée et jointe, et Sir Stephen dut la forcer. Même lorsqu'il l'eut fait, elle sentait que l'anneau de ses reins se serrait autour de lui, et il eut de la peine à s'enfoncer en elle complètement. Il ne se retira d'elle que lorsqu'il put aller et venir en elle sans difficulté. Alors au moment de la reprendre, il dit à Norah d'attendre, et qu'elle pourrait faire rhabiller O quand il en aurait fini. Cependant, avant de la renvoyer, il embrassa O sur la bouche avec tendresse. Ce fut dans ce baiser qu'elle trouva quelques jours plus tard le courage de lui dire que Norah lui faisait peur. « J'espère bien, lui dit-il. Et lorsque vous porterez, comme vous ferez bientôt — si vous y consentez — ma marque et mes fers, vous aurez beaucoup plus de raison de la craindre. — Pourquoi ? dit O, et quelle marque, et quels fers ? Je porte déjà cet anneau... — Cela regarde Anne-Marie, à qui j'ai promis de vous montrer. Nous allons chez elle après le déjeuner. Vous le voulez bien ? C'est une de mes amies, et vous remarquerez que jusqu'ici je ne vous ai jamais fait rencontrer de mes amis. Lorsque vous sortirez de ses mains, je vous donnerai de véritables motifs d'avoir peur de Norah. » O n'osa pas insister. Cette Anne-Marie dont on la menaçait l'intriguait plus que Norah. C'est elle dont Sir Stephen lui avait déjà parlé quand ils avaient déjeuné à Saint-Cloud. Et il était bien vrai qu'O ne connaissait aucun des amis, aucune des relations de Sir Stephen. Elle vivait en somme dans Paris, enfermée dans son secret, comme si elle eût été enfermée dans une maison close ; les seuls êtres qui avaient droit à son secret, René et Sir Stephen, avaient en même temps droit à son corps. Elle songeait que le mot s'ouvrir à quelqu'un, qui veut dire se confier, n'avait pour

elle qu'un seul sens, littéral, physique, et
d'ailleurs absolu, car elle s'ouvrait en effet
de toutes les parts de son corps qui pouvaient l'être. Il semblait aussi que ce fût sa
raison d'être, et que Sir Stephen, comme
René, l'entendait bien ainsi, puisque lorsqu'il parlait de ses amis, comme il avait fait
à Saint-Cloud, c'était pour lui dire que
ceux qu'il lui ferait connaître, il allait de soi
qu'elle serait à leur disposition, s'ils avaient
envie d'elle. Mais pour imaginer Anne-
Marie, et ce que Sir Stephen, pour elle,
attendait d'Anne-Marie, O n'avait rien qui la
renseignât, pas même son expérience de
Roissy. Sir Stephen lui avait dit aussi qu'il
voulait la voir caresser une femme, était-ce
cela ? (Mais il avait précisé qu'il s'agissait
de Jacqueline...) Non, ce n'était pas cela.
« Vous montrer », venait-il de dire. En effet.
Mais quand elle quitta Anne-Marie, O n'en
savait pas davantage.

Anne-Marie habitait près de l'Observatoire,
dans un appartement flanqué d'une sorte de
grand atelier, en haut d'un immeuble neuf,
qui dominait la cime des arbres. C'était une

femme mince, de l'âge de Sir Stephen, et
dont les cheveux noirs étaient mêlés de
mèches grises. Ses yeux bleus étaient si foncés qu'on les croyait noirs. Elle offrit à
boire à Sir Stephen et à O, un café très noir
dans de toutes petites tasses, brûlant et
amer, qui réconforta O. Quand elle eut fini
de boire, et qu'elle se fut levée de son fauteuil pour poser sa tasse vide sur un gué-
ridon, Anne-Marie la saisit par le poignet, et
se tournant vers Sir Stephen, lui dit :
« Vous permettez ? — Je vous en prie », dit
Sir Stephen. Alors Anne-Marie, qui jusqu'ici,
même pour lui dire bonjour, même lorsque
Sir Stephen l'avait présentée à Anne-Marie,
ne lui avait ni adressé la parole, ni souri, dit
doucement à O, avec un si tendre sourire
qu'on eût dit qu'elle lui faisait un cadeau :
« Viens que je voie ton ventre, petite, et tes
fesses. Mais mets-toi toute nue, ce sera
mieux. » Pendant qu'O obéissait, elle allumait une cigarette. Sir Stephen n'avait pas
quitté O des yeux. Tous deux la laissèrent
debout, peut-être cinq minutes. Il n'y avait
pas de glace dans la pièce, mais O apercevait un vague reflet d'elle-même dans la
laque noire d'un paravent. « Enlève aussi

tes bas », dit soudain Anne-Marie. « Tu vois, reprit-elle, tu ne dois pas porter de jarretières, tu te déformeras les cuisses. » Et elle désigna à O, du bout du doigt, le très léger creux qui marquait, au-dessus du genou, l'endroit où O roulait son bas à plat autour de la large jarretière élastique. « Qui t'a fait faire cela ? » Avant qu'O eût répondu : « C'est le garçon qui me l'a donnée, vous le connaissez, dit Sir Stephen, René. » Et il ajouta : « Mais il se rangera sûrement à votre avis. — Bon, dit Anne-Marie. Je vais te faire donner des bas très longs et foncés, O, et un porte-jarretelles pour les tenir, mais un porte-jarretelles baleiné, qui te marque la taille. » Quand Anne-Marie eut sonné et qu'une jeune fille blonde et muette eut apporté des bas très fins et noirs et une guêpière de taffetas de nylon noir, tenue rigide par de larges baleines très rapprochées, courbées vers l'intérieur au ventre et au-dessus des hanches, O, toujours debout et en équilibre d'un pied sur l'autre, enfila les bas, qui lui montaient tout en haut des cuisses. La jeune fille blonde lui mit la guêpière, qu'un busc, sur un côté derrière, permettait de boucler et de déboucler. Par-derrière aussi, comme aux corsets de Roissy, un large laçage se serrait ou se desserrait à volonté. O accrocha ses bas, devant et sur les côtés, aux quatre jarretelles, puis la jeune fille se mit en devoir de la lacer aussi étroitement qu'elle put. O sentit sa taille et son ventre se creuser sous la pression des baleines, qui sur le ventre descendaient presque jusqu'au pubis. qu'elles dégageaient, ainsi que les hanches. La guêpière était plus courte par-derrière et laissait la croupe entièrement libre. « Elle sera beaucoup mieux, dit Anne-Marie, en s'adressant à Sir Stephen, quand elle aura la taille tout à fait réduite ; d'ailleurs, si vous n'avez pas le temps de la faire déshabiller, vous verrez que la guêpière ne gêne pas. Approche-toi maintenant, O. » La jeune fille sortit, O s'approcha d'Anne-Marie, qui était assise dans un fauteuil bas, un fauteuil crapaud couvert de velours cerise. Anne-Marie lui passa doucement la main sur les fesses, puis la faisant basculer sur un pouf pareil au fauteuil, lui releva et lui ouvrit les jambes, et lui ordonnant de ne pas bouger, lui saisit les deux lèvres du ventre. On soulève ainsi au marché, se dit O, les ouïes des pois-

sons, sur les champs de foire les babines
des chevaux. Elle se rappela aussi que le
valet Pierre, le premier soir de Roissy, après
qu'il l'eut enchaînée, avait fait de même.
Après tout, elle n'était plus à elle, et ce qui
d'elle était le moins à elle était certainement
cette moitié de son corps qui pouvait si bien
servir pour ainsi dire en dehors d'elle. Pourquoi, à chaque fois qu'elle le constatait, en
était-elle, non pas surprise, mais comme persuadée à nouveau, avec à chaque fois aussi
fort le même trouble qui l'immobilisait, et
qui la livrait beaucoup moins à celui aux
mains de qui elle était qu'à celui qui l'avait
remise entre les mains étrangères, qui à
Roissy la livraient à René quand d'autres la
possédaient, et ici à qui ? A René ou à Sir
Stephen ? Ah ! elle ne savait plus. Mais c'est
qu'elle ne voulait plus savoir, car c'était
bien à Sir Stephen qu'elle était depuis,
depuis quand ?... Anne-Marie la fit se remettre debout, se rhabiller. « Vous pouvez me
l'amener quand vous voudrez, dit-elle à Sir
Stephen, je serai à Samois (Samois... O
avait attendu : Roissy, eh bien non, il ne
s'agissait pas de Roissy, alors de quoi s'agis-
sait-il ?) dans deux jours. Ça ira très bien. »

(Qu'est-ce qui irait bien ?) « Dans dix jours si vous voulez, répondit Sir Stephen, au début de juillet. »

Dans la voiture qui reconduisait O chez elle, Sir Stephen étant resté chez Anne-Marie, elle se souvint de la statue qu'elle avait vue enfant au Luxembourg : une femme dont la taille avait été ainsi étranglée, et semblait si mince entre les seins lourds et les reins charnus — elle était penchée en avant pour se mirer dans une source, en marbre aussi, soigneusement figurée à ses pieds — qu'on avait peur que le marbre ne cassât. Si Sir Stephen le désirait... Pour ce qui était de Jacqueline, il était bien facile de lui dire que c'était un caprice de René. Sur quoi O fut ramenée à une préoccupation qu'elle essayait de fuir chaque fois qu'elle lui revenait, et dont elle s'étonnait pourtant qu'elle ne fût pas plus lancinante : pourquoi René, depuis que Jacqueline était là, prenait-il soin non pas tellement de la laisser seule avec Jacqueline, ce qui se comprenait, mais de ne plus rester, lui, seul avec O ? Juillet approchait, où il allait partir, il ne viendrait pas la voir chez cette Anne-Marie où Sir Stephen l'enverrait, et

fallait-il donc qu'elle se résignât à ne plus
le rencontrer que le soir quand il lui plaisait de les inviter Jacqueline et elle, ou bien
— et elle ne savait ce qui lui était désormais le plus déroutant (puisqu'il n'y avait
plus entre eux que ces relations essentielle-
ment fausses, du fait qu'elles étaient ainsi
limitées) — ou bien le matin parfois, lorsqu'elle était chez Sir Stephen, et que Norah
l'introduisait après l'avoir annoncé ? Sir Stephen le recevait toujours, toujours René
embrassait O, lui caressait la pointe des
seins, faisait avec Sir Stephen des projets
pour le lendemain, où il n'était pas question
d'elle, et s'en allait. L'avait-il si bien donnée
à Sir Stephen qu'il en était venu à ne plus
l'aimer ? Qu'allait-il se passer s'il ne l'aimait
plus ? O fut tellement saisie de panique,
qu'elle descendit machinalement sur le quai
devant sa maison, au lieu de garder la voiture, et se mit aussitôt à courir pour arrêter
un taxi. On trouve peu de taxis sur le quai
de Béthune. O courut jusqu'au boulevard
Saint-Germain, et dut encore attendre. Elle
était en sueur, et haletante, parce que sa
guêpière lui coupait la respiration, lorsque
enfin un taxi ralentit à l'angle de la rue du

Cardinal-Lemoine. Elle lui fit signe, donna l'adresse du bureau où René travaillait, et monta, sans savoir si René y serait, s'il la recevrait s'il y était. Jamais elle n'y était allée. Elle ne fut surprise ni par le grand immeuble dans une rue perpendiculaire aux Champs-Elysées, ni par les bureaux à l'américaine, mais l'attitude de René, qui pourtant la reçut aussitôt, la déconcerta. Non qu'il fût agressif, ou plein de reproches. Elle aurait préféré des reproches, car enfin il ne lui avait pas permis de venir le déranger, et peut-être le dérangeait-elle beaucoup. Il renvoya sa secrétaire, la pria de ne lui annoncer personne, et de ne lui passer aucun coup de téléphone. Puis il demanda à O ce qu'il y avait. « J'ai eu peur que tu ne m'aimes plus », dit O. Il rit : « Tout d'un coup, comme ça ? — Oui, dans la voiture en revenant de... — En revenant de chez qui ? » O se tut, René rit encore : « Mais je sais, que tu es sotte. De chez Anne-Marie. Et tu vas à Samois dans dix jours. Sir Stephen vient de me téléphoner. » René était assis dans le seul fauteuil confortable de son bureau, face à la table, et O s'était blottie dans ses bras. « Ce qu'ils feront de moi m'est égal, murmura-t-elle, mais dis-moi si tu m'aimes encore. — Mon petit cœur, je t'aime, dit René, mais je veux que tu m'obéisses, et tu m'obéis bien mal. Tu as dit à Jacqueline que tu appartenais à Sir Stephen, tu lui as parlé de Roissy ? » O assura que non. Jacqueline acceptait ses caresses, mais du jour où elle saurait qu'O... René ne la laissa pas achever, la releva, l'accota contre le fauteuil qu'il venait de quitter, et lui retroussa sa jupe. « Ah ! voilà la guêpière, dit-il. C'est vrai que tu seras beaucoup plus agréable quand tu auras la taille très mince. » Puis il la prit, et il parut à O qu'il y avait si longtemps qu'il ne l'avait fait qu'elle s'aperçut qu'au fond elle avait douté si même il avait encore envie d'elle, et qu'elle y vit naïvement une preuve d'amour. « Tu sais, lui dit-il ensuite, tu es stupide de ne pas parler à Jacqueline. Il nous la faut à Roissy, ce serait plus commode que ce soit toi qui l'amènes. D'ailleurs, quand tu reviendras de chez Anne-Marie, tu ne pourras plus lui cacher ta véritable condition. » O demanda pourquoi. « Tu verras, reprit René. Tu as encore cinq jours, et seulement cinq jours, parce que Sir Stephen a l'intention,

cinq jours avant de t'envoyer chez Anne-
Marie, de recommencer à te fouetter tous les
jours, tu en porteras sûrement des traces, et
comment les expliqueras-tu à Jacqueline ? »
O ne répondit pas. Ce que René ne savait
pas, c'est que Jacqueline ne s'intéressait à
O que pour la passion qu'O lui témoignait,
et ne la regardait jamais. Fût-elle couverte
de balafres de fouet, il suffisait qu'elle prît
soin de ne pas se baigner devant Jacqueline,
et de mettre une chemise de nuit. Jacqueline
ne verrait rien. Elle n'avait pas remarqué
qu'O ne portait pas de slip, elle ne remar-
quait rien : O ne l'intéressait pas. « Ecoute,
reprit René, il y a une chose en tout cas que
tu vas lui dire, et lui dire tout de suite :
c'est que je suis amoureux d'elle. — Et c'est
vrai ? dit O. — Je veux l'avoir, dit René, et
puisque toi tu ne peux ou ne veux rien faire,
moi je ferai ce qu'il faudra. — Elle ne voudra jamais, pour Roissy, dit O. — Ah non ?
Eh bien, reprit René, on la forcera. »
Le soir, à la nuit close, quand Jacqueline
fut couchée, et qu'O eut rejeté le drap pour
la regarder à la lumière de la lampe, après
lui avoir dit « René est amoureux de toi »,
car elle le lui dit, et le lui dit aussitôt, O, qui

à l'idée de voir ce corps si fragile et si mince
labouré par le fouet, ce ventre étroit écartelé, la bouche pure hurlante, et le duvet
des joues collé par les larmes, avait été un
mois plus tôt soulevée d'horreur, se répéta
la dernière parole de René, et en fut heureuse.

Jacqueline partie, pour ne revenir sans
doute qu'au début d'août, si le film qu'elle
tournait était fini, plus rien ne retenait O
à Paris. Juillet approchait, tous les jardins
éclataient de géraniums cramoisis, tous les
stores au midi étaient baissés, René soupi-
rait qu'il lui fallait se rendre en Ecosse. O
espéra un instant qu'il l'emmènerait. Mais
outre qu'il ne l'emmenait jamais dans sa
famille, elle savait qu'il la céderait à Sir
Stephen, si celui-ci la réclamait. Sir Stephen
déclara que le jour où René prendrait
l'avion pour Londres, il viendrait chercher
O. Elle était en vacances. « Nous allons chez
Anne-Marie, dit-il, elle vous attend. N'empor-
tez aucune valise, vous n'aurez besoin de
rien. » Ce n'était pas à l'appartement de
l'Observatoire où, pour la première fois, O

avait rencontré Anne-Marie, mais dans une maison basse au fond d'un grand jardin, en lisière de la forêt de Fontainebleau. O portait depuis ce jour-là la guêpière baleinée qui avait paru si nécessaire à Anne-Marie : elle la serrait chaque jour davantage, on pouvait presque maintenant lui prendre la taille entre les deux mains, Anne-Marie serait contente. Quand ils arrivèrent, il était deux heures de l'après-midi, la maison dormait, et le chien aboya faiblement au coup de sonnette : un grand bouvier des Flandres à poil rugueux, qui renifla les genoux d'O sous sa robe. Anne-Marie était sous un hêtre pourpre, au bout de la pelouse qui, dans un angle du jardin, faisait face aux fenêtres de sa chambre. Elle ne se leva pas. « Voici O, dit Sir Stephen, vous savez ce qu'il faut lui faire, quand sera-t-elle prête ? » Anne-Marie regarda O. « Vous ne l'avez pas prévenue ? Eh bien, je commencerai tout de suite. Il faut compter sans doute dix jours ensuite. Je suppose que vous voulez poser les anneaux et le chiffre vous-même ? Revenez dans quinze jours. Ensuite tout devrait être fini au bout de quinze autres jours. » O voulut parler, poser une question. « Un instant, O, dit Anne-Marie, va dans la chambre qui est devant, déshabille-toi, ne garde que tes sandales, et reviens. » La chambre était vide, une grande chambre blanche aux rideaux de toile de Jouy violette. O posa son sac, ses gants, ses vêtements, sur une petite chaise près d'une porte de placard. Il n'y avait pas de glace. Elle ressortit lentement, éblouie par le soleil, avant de regagner l'ombre du hêtre. Sir Stephen était toujours debout devant Anne-Marie, le chien à ses pieds. Les cheveux noirs et gris d'Anne-Marie brillaient comme s'ils étaient huilés, ses yeux bleus paraissaient noirs. Elle était vêtue de blanc, une ceinture vernie à la taille, et portait des sandales vernies qui laissaient voir la laque rouge de ses ongles, sur ses pieds nus, pareille à la laque rouge des ongles de ses mains. « O, dit-elle, mets-toi à genoux devant Sir Stephen. » O s'agenouilla, les bras croisés derrière le dos, la pointe des seins frémissante. Le chien fit mine de s'élancer sur elle. « Ici, Turc, dit Anne-Marie. Consens-tu, O, à porter les anneaux et le chiffre dont Sir Stephen désire que tu sois marquée, sans savoir comment ils te seront imposés ? — Oui, dit O. — Alors

je reconduis Sir Stephen, reste là. » Sir Stephen se pencha, et prit O par les seins,
pendant qu'Anne-Marie se levait de sa chaise
longue. Il l'embrassa sur la bouche, murmura : « Tu es à moi, O, vraiment tu es à
moi ? » puis la quitta pour suivre Anne-
Marie. Le portail claqua, Anne-Marie revenait. O, les genoux pliés, était assise sur ses
talons et avait posé ses bras sur ses genoux,
comme une statue d'Egypte.

Trois autres filles habitaient la maison,
elles avaient chacune une chambre au premier étage ; on donna à O une petite chambre au rez-de-chaussée, voisine de celle
d'Anne-Marie. Anne-Marie les appela, leur
criant de descendre dans le jardin. Toutes
trois, comme O, étaient nues. Seules dans
ce gynécée, soigneusement caché par les
hauts murs du parc et les volets fermés sur
une ruelle poussiéreuse, Anne-Marie et les
domestiques étaient vêtues : une cuisinière
et deux femmes de chambre, plus âgées
qu'Anne-Marie, sévères dans de grandes
jupes d'alpaga noir et des tabliers empesés.
« Elle s'appelle O, dit Anne-Marie, qui
s'était rassise. Amenez-la-moi, que je la revoie
de près. » Deux des filles mirent O debout,

toutes deux brunes, les cheveux aussi noirs que leur toison, le bout des seins long et presque violet. L'autre était petite, ronde et rousse, et sur la peau crayeuse de sa poitrine on voyait un effrayant réseau de veines vertes. Les deux filles poussèrent O tout contre Anne-Marie, qui désigna du doigt les trois zébrures noires qui rayaient le devant de ses cuisses, et se répétaient sur les reins. « Qui t'a fouettée, dit-elle, Sir Stephen ? — Oui, dit O. — Avec quoi, et quand ? — Il y a trois jours, à la cravache. — Pendant un mois à partir de demain, tu ne seras pas fouettée, mais tu le seras aujourd'hui, pour ton arrivée, quand j'aurai fini de t'examiner. Sir Stephen ne t'a jamais fouetté l'intérieur des cuisses, jambes grandes ouvertes ? Non ? Non, les hommes ne savent pas. Tout à l'heure, nous verrons. Montre ta taille. Ah ! c'est mieux ! » Anne-Marie tirait sur la taille lisse d'O, pour la faire encore plus mince. Puis elle envoya la petite rousse chercher une autre guêpière, et la lui fit mettre. Elle était aussi de nylon noir, si durement baleinée et si étroite qu'on aurait dit une très haute ceinture de cuir, et ne comportait pas de jarretelles. Une des filles brunes la laça, cependant qu'Anne-Marie lui ordonnait de serrer de toute sa force. « C'est terrible, dit O. — Justement, dit Anne-Marie, c'est pour cela que tu es bien plus belle, mais tu ne serrais pas assez, tu la porteras ainsi tous les jours. Dis-moi maintenant comment Sir Stephen préférait se servir de toi. J'ai besoin de le savoir. » Elle tenait O au ventre, à pleine main, et O ne pouvait pas répondre. Deux des filles s'étaient assises par terre, la troisième, la brune, sur le pied de la chaise longue d'Anne-Marie. « Renversez-la, vous autres, dit Anne-Marie, que je voie ses reins. » O fut retournée et basculée, et les mains de deux jeunes filles l'entrouvrirent. « Bien sûr, reprit Anne-Marie, tu n'as pas besoin de répondre, c'est aux reins qu'il faudra te marquer. Relève-toi. On va te mettre tes bracelets. Colette va chercher la boîte, on va tirer au sort qui te fouettera, Colette apporte les jetons, puis on ira dans la salle de musique. » Colette était la plus grande des deux filles brunes, l'autre s'appelait Claire, la petite rousse Yvonne. O n'avait pas fait attention qu'elles portaient toutes, comme à Roissy, un collier de cuir et des bracelets aux poignets. En plus, elles portaient aux chevilles les mêmes bracelets. Quand Yvonne eut choisi et fixé sur O les bracelets qui lui allaient, Anne-Marie tendit à O quatre jetons, en la priant d'en donner un à chacune d'elles, sans regarder le chiffre qui y était inscrit. O distribua ses jetons. Les trois filles regardèrent chacune le leur et ne dirent rien, attendant qu'Anne-Marie parlât. « J'ai deux, dit Anne-Marie, qui a un ? » C'était Colette. « Emmène O, elle est à toi. » Colette saisit les bras d'O et, lui réunissant les mains derrière le dos, en attachant ensemble ses bracelets, la poussa devant elle. Au seuil d'une porte-fenêtre, qui ouvrait dans une petite aile perpendiculaire à la façade principale, Yvonne qui les précédait retira à O ses sandales. La porte-fenêtre éclairait une pièce dont le fond formait comme une rotonde surélevée ; le plafond en coupole à peine indiquée était soutenu au départ de la courbe par deux colonnes minces séparées de deux mètres. L'estrade, haute de près de quatre marches, se prolongeait, entre les deux colonnes, par une avancée arrondie. Le sol de la rotonde, comme celui du reste de la pièce, était recouvert d'un tapis de feutre

rouge. Les murs étaient blancs, les rideaux
des fenêtres rouges, les divans qui faisaient
le tour de la rotonde de feutre rouge
comme le tapis. Il y avait une cheminée dans
la partie rectangulaire de la salle, qui était
plus large que profonde, et en face de la
cheminée un grand appareil de radio avec
pick-up que flanquaient des rayonnages à
disques. C'est pour cela qu'on l'appelait la
salle de musique. Elle communiquait directement par une porte, près de la cheminée,
avec la chambre d'Anne-Marie. La porte
symétrique était une porte de placard. A
part les divans et le phono, il n'y avait aucun
meuble. Pendant que Colette faisait asseoir
O sur le rebord de l'estrade, qui était à pic
en son milieu, les marches étaient à droite
et à gauche des colonnes, les deux autres
filles fermaient la porte-fenêtre, après avoir
tiré légèrement les persiennes. O surprise
s'aperçut que c'était une double fenêtre et
Anne-Marie, qui riait, dit : « C'est pour que
l'on ne t'entende pas crier, les murs sont
doublés de liège, on n'entend rien de ce qui
se passe ici. Couche-toi. » Elle la prit aux
épaules, la posa sur le feutre rouge, puis la
tira un peu en avant ; les mains d'O s'agrip-

paient au rebord de l'estrade, où Yvonne les assujettit à un anneau, et ses reins étaient dans le vide. Anne-Marie lui fit plier les genoux vers la poitrine, puis O sentit ses jambes, ainsi renversées, soudain tendues et tirées dans le même sens : des sangles passées dans les bracelets de ses chevilles les attachaient plus haut que sa tête aux colonnes au milieu desquelles, ainsi surélevée sur cette estrade, elle était exposée de telle manière que la seule chose d'elle qui fût visible était le creux de son ventre et de ses reins violemment écartelés. Anne-Marie lui caressa l'intérieur des cuisses. « C'est l'endroit du corps où la peau est la plus douce, dit-elle, il ne faudra pas l'abîmer. Va doucement, Colette. » Colette était debout au-dessus d'elle, un pied de part et d'autre de sa taille, et O voyait, dans le pont que formaient ses jambes brunes, les cordelettes du fouet qu'elle tenait à la main. Aux premiers coups qui la brûlèrent au ventre, O gémit. Colette passait de la droite à la gauche, s'arrêtait, reprenait. O se débattait de tout son pouvoir, elle crut que les sangles la déchireraient. Elle ne voulait pas supplier, elle ne voulait pas demander grâce. Mais Anne-Marie entendait l'amener à merci. « Plus vite, dit-elle à Colette, et plus fort. » O se raidit, mais en vain. Une minute plus tard, elle cédait aux cris et aux larmes, tandis qu'Anne-Marie lui caressait le visage. « Encore un instant, dit-elle, et puis c'est fini. Cinq minutes seulement. Tu peux bien crier pendant cinq minutes. Il ·est vingt-cinq. Colette tu arrêteras à trente, quand je te le dirai. » Mais O hurlait non, non par pitié, elle ne pouvait pas, non, elle ne pouvait pas une seconde de plus supporter le supplice. Elle le subit cependant jusqu'au bout, et Anne-Marie lui sourit quand Colette quitta l'estrade. « Remercie-moi », dit Anne-Marie à O, et O la remercia. Elle savait bien pourquoi Anne-Marie avait tenu, avant toute chose, à la faire fouetter. Qu'une femme fût aussi cruelle, et plus implacable qu'un homme, elle n'en avait jamais douté. Mais O pensait qu'Anne-Marie cherchait moins à manifester son pouvoir qu'à établir entre elle et O une complicité. O n'avait jamais compris, mais avait fini par reconnaître, pour une vérité indéniable, et importante, l'enchevêtrement contradictoire et constant de ses sentiments : elle aimait l'idée du supplice, quand elle le subissait elle aurait trahi le monde entier pour y échapper, quand il était fini elle était heureuse de l'avoir subi, d'autant plus heureuse qu'il avait été plus cruel et plus long. Anne-Marie ne s'était pas trompée à l'acquiescement ni à la révolte d'O, et savait bien que son merci n'était pas dérisoire. Il y avait cependant à son geste une troisième raison, qu'elle lui expliqua. Elle tenait à faire éprouver à toute fille qui entrait dans sa maison, et devait y vivre dans un univers uniquement féminin, que sa condition de femme n'y perdrait pas son importance du fait qu'elle n'aurait de contact qu'avec d'autres femmes, mais en serait au contraire rendue plus présente et plus aiguë. C'est pour cette raison qu'elle exigeait que les filles fussent constamment nues ; la façon dont O avait été fouettée, comme la posture où elle était liée n'avaient pas non plus d'autre but. Aujourd'hui, c'était O qui demeurerait le reste de l'après-midi — trois heures encore — jambes ouvertes et relevées, exposée sur l'estrade, face au jardin. Elle ne pourrait cesser de désirer refermer ses jambes. Demain, ce serait Claire ou Colette, ou Yvonne, qu'O regarderait à son tour. C'était un procédé beaucoup trop lent et beaucoup trop minutieux (comme la manière d'appliquer le fouet) pour qu'il fût employé à Roissy. Mais O verrait combien il est efficace. Outre les anneaux et le chiffre qu'elle porterait à son départ, elle serait rendue à Sir Stephen plus ouvertement et plus profondément esclave qu'elle ne l'imaginait possible.

Le lendemain matin, après le petit déjeuner, Anne-Marie dit à O et à Yvonne de la suivre dans sa chambre. Elle prit dans son secrétaire un coffret de cuir vert qu'elle posa sur son lit et l'ouvrit. Les deux filles s'assirent à ses pieds. « Yvonne ne t'a rien dit ? » demanda Anne-Marie à O. O fit non de la tête. Qu'avait Yvonne à lui dire ? « Sir Stephen non plus, je sais. Eh bien voici les anneaux qu'il désire te faire porter. » C'étaient des anneaux de fer mat inoxydable, comme le fer de la bague doublée d'or. La tige en était ronde, épaisse comme un gros crayon de couleur, et ils étaient oblongs : les maillons des grosses chaînes sont semblables. Anne-Marie montra à O que chacun était formé de deux U qui s'emboîtaient l'un dans l'autre. « Ce n'est que le modèle d'essai, dit-elle. On peut l'enlever. Le modèle définitif, tu vois, il y a un ressort intérieur sur lequel on doit forcer pour le faire pénétrer dans la rainure où il se bloque. Une fois posé, il est impossible de l'ôter, il faut limer. » Chaque anneau était long comme deux phalanges du petit doigt, qu'on y pouvait glisser. A chacun était suspendu, comme un nouveau maillon, ou comme au support d'une boucle d'oreille un anneau qui doit être dans le même plan que l'oreille et la prolonger, un disque de même métal aussi large que l'anneau était long. Sur une des faces, un triskel niellé d'or, sur l'autre, rien. « Sur l'autre, dit Anne-Marie, il y aura ton nom, le titre, le nom et le prénom de Sir Stephen, et au-dessous, un fouet et une cravache entrecroisés. Yvonne porte un disque analogue à son collier. Mais toi, tu le porteras à ton ventre. — Mais..., dit O. — Je sais, répondit Anne-Marie, c'est pour cela que j'ai emmené Yvonne. Montre ton ventre, Yvonne. » La fille rousse se leva, et se renversa sur le lit. Anne-Marie lui ouvrit les cuisses et fit voir à O qu'un des lobes de son ventre, dans le milieu de sa longueur et à sa base, était percé comme à l'emporte-

pièce. L'anneau de fer y passerait juste.
« Je te percerai dans un instant, O, dit Anne-
Marie, ce n'est rien, le plus long est de poser
les agrafes pour suturer ensemble l'épiderme
du dessus et la muqueuse de dessous. C'est
beaucoup moins dur que le fouet. — Mais
vous n'endormez pas ? s'écria O tremblante.
— Jamais de la vie, répondit Anne-Marie, tu
seras attachée seulement un peu plus serré
qu'hier, c'est bien suffisant. Viens. »

Huit jours plus tard, Anne-Marie ôtait à
O les agrafes et lui passait l'anneau d'essai.
Si léger qu'il fût — plus qu'il n'en avait l'air,
mais il était creux — il pesait. Le dur métal,
dont on voyait bien qu'il entrait dans la
chair, semblait un instrument de supplice.
Que serait-ce lorsque s'y ajouterait le second
anneau, qui pèserait davantage ? Cet appareil barbare éclaterait au premier regard.
« Bien entendu, dit Anne-Marie, lorsque O
lui en fit la réflexion. Tu as tout de même
bien compris ce que veut Sir Stephen ? Quiconque, à Roissy, ou ailleurs, lui ou n'importe qui d'autre, même toi devant la glace,
quiconque relèvera ta jupe verra immédiatement ses anneaux à ton ventre, et si on le
retourne, son chiffre sur tes reins. Tu pour-

ras peut-être un jour faire limer les anneaux, mais le chiffre tu ne l'effaceras jamais. — Je croyais, dit Colette, qu'on effaçait très bien les tatouages. » (C'est elle qui sur la peau blanche d'Yvonne avait tatoué, au-dessus du triangle du ventre, en lettres bleues ornées comme des lettres de broderie, les initiales du maître d'Yvonne.) « O ne sera pas tatouée », répondit Anne-Manie, O regarda Anne-Marie. Colette et Yvonne se taisaient, interloquées. Anne-Marie hésitait à parler. « Allons, dites, dit O. — Mon pauvre petit, je n'osais pas t'en parler : tu seras marquée au fer. Sir Stephen me les a envoyés il y a deux jours. — Au fer ? cria Yvonne. — Au fer rouge. »

Du premier jour, O avait partagé la vie de la maison. L'oisiveté y était absolue, et délibérée, les distractions monotones. Les filles étaient libres de se promener dans le jardin, de lire, de dessiner, de jouer aux cartes, de faire des réussites. Elles pouvaient dormir dans leur chambre, ou s'étendre au soleil pour se brunir. Parfois elles parlaient ensemble, ou deux à deux, des heures entières, parfois elles restaient assises sans rien dire aux pieds d'Anne-

Marie. Les heures des repas étaient toujours semblables, le dîner avait lieu aux bougies, le thé était pris dans le jardin, et il y avait quelque chose d'absurde dans le naturel des deux domestiques à servir ces filles nues, assises à une table de cérémonie. Le soir, Anne-Marie nommait l'une d'elles pour dormir avec elle, la même parfois plusieurs soirs de suite. Elle la caressait et se faisait caresser par elle le plus souvent vers l'aube, et se rendormait ensuite, après l'avoir renvoyée dans sa chambre. Les rideaux violets, à demi tirés seulement, coloraient de mauve le jour naissant, et Yvonne disait qu'Anne-Marie était aussi belle et hautaine dans le plaisir qu'elle recevait qu'inlassable dans ses exigences. Aucune d'elles ne l'avait vue tout à fait nue. Elle entrouvrait ou relevait sa chemise blanche en jersey de nylon, mais ne l'ôtait pas. Ni le plaisir qu'elle avait pu prendre la nuit ni le choix qu'elle avait fait la veille n'influaient sur la décision du lendemain après-midi, qui était toujours remise au sort. A trois heures, sous le hêtre pourpre où les fauteuils de jardin étaient groupés autour d'une table ronde en pierre blanche, Anne-Marie apportait la coupe aux jetons. Chacune en prenait un. Celle qui tirait le nombre le plus faible était alors conduite à la salle de musique et disposée sur l'estrade comme l'avait été O. Il lui restait (sauf O qui était hors de cause jusqu'à son départ) à désigner la main droite ou la main gauche d'Anne-Marie, qui tenait au hasard une boule blanche ou noire. Noire, la fille était fouettée, blanche, non. Anne-Marie ne trichait jamais, même si le sort condamnait ou épargnait la même fille plusieurs jours. Le supplice de la petite Yvonne, qui sanglotait et appelait son amant, fut ainsi renouvelé quatre jours. Ses cuisses veinées de vert comme sa poitrine s'écartaient sur une chair rose que l'épais anneau de fer, enfin posé, transperçait, d'autant plus saisissant qu'Yvonne était entièrement épilée. « Mais pourquoi, demanda O à Yvonne, et pourquoi l'anneau, si tu portes le disque à ton collier ? — Il dit que je suis plus nue lorsque je suis épilée. L'anneau, je crois que c'est pour m'attacher. » Les yeux verts d'Yvonne et son petit visage triangulaire faisaient qu'O pensait à Jacqueline chaque fois qu'elle la regardait. Si Jacqueline allait à Roissy ? Jacqueline, un jour ou l'autre, passerait ici, serait ici, renversée sur cette estrade. « Je ne veux pas, disait O, je ne veux pas, je ne ferai rien pour l'amener, je ne lui en ai que trop dit. Jacqueline n'est pas faite pour être frappée et marquée. » Mais que les coups et les fers allaient bien à Yvonne, que sa sueur et ses gémissements étaient doux, qu'il était doux de les lui arracher. Car Anne-Marie, à deux reprises, et jusqu'ici pour Yvonne seulement, avait tendu le fouet de cordes à O, en lui disant de frapper. La première fois, la première minute, elle avait hésité, au premier cri d'Yvonne elle avait reculé, mais dès qu'elle avait repris et qu'Yvonne avait crié de nouveau, plus fort, elle avait été saisie par un terrible plaisir, si aigu qu'elle se sentait rire de joie malgré elle, et devait se faire violence pour ralentir ses coups et ne pas frapper à toute volée. Ensuite, elle était restée près d'Yvonne tout le temps qu'Yvonne était demeurée liée, l'embrassant de temps en temps. Sans doute lui ressemblait-elle en quelque façon. Au moins le sentiment d'Anne-Marie paraissait le prouver. Etait-ce le silence d'O, sa docilité qui la tentaient ? A peine les blessures d'O étaient-elles cicatrisées : « Que je regrette,

disait Anne-Marie, de ne pouvoir te faire
fouetter. Quand tu reviendras... Enfin, je
vais en tout cas t'ouvrir tous les jours. »
Et tous les jours, quand la fille qui était
dans la salle de musique était détachée, O la
remplaçait, jusqu'à l'heure où sonnait la
cloche du dîner. Et Anne-Marie avait raison :
c'était vrai qu'elle ne pouvait songer à rien
d'autre, pendant ces deux heures, qu'au fait
qu'elle était ouverte, à l'anneau qui pesait
à son ventre, dès qu'on le lui eut mis, et qui
pesa bien davantage lorsque le second
anneau s'y ajouta. A rien d'autre qu'à son
esclavage et aux marques de son esclavage.
Un soir Claire était entrée avec Colette,
venant du jardin, s'était approchée d'O et
avait retourné les anneaux. Il n'y avait pas
encore d'inscription. « Quand es-tu entrée à
Roissy, dit-elle, c'est Anne-Marie qui t'a fait
entrer ? — Non, dit O. — Moi, c'est Anne-
Marie, il y a deux ans. J'y retourne après-
demain. — Mais tu n'appartiens à personne ?» dit O. « Claire appartient à moi,
dit Anne-Marie survenant. Ton maître arrive
demain matin, O. Tu dormiras avec moi cette
nuit. » La courte nuit d'été s'éclaircit lentement, et vers quatre heures du matin le jour

noyait les dernières étoiles. O qui dormait les genoux joints fut tirée du sommeil par la main d'Anne-Marie entre ses cuisses. Mais Anne-Marie voulait seulement la réveiller, pour qu'O la caressât. Ses yeux brillaient dans la pénombre, et ses cheveux gris, mêlés de fils noirs, coupés court et retroussés par l'oreiller, à peine bouclés, lui donnaient un air de grand seigneur exilé, de libertin courageux. O effleura de ses lèvres la dure pointe des seins, de sa main le creux du ventre. Anne-Marie fut prompte à se rendre — mais ce n'était pas à O. Le plaisir sur lequel elle ouvrait grands les yeux face au jour était un plaisir anonyme et impersonnel, dont O n'était que l'instrument. Il était indifférent à Anne-Marie qu'O admirât son visage lissé et rajeuni, sa belle bouche haletante, indifférent qu'O l'entendît gémir quand elle saisit entre ses dents et ses lèvres la crête de chair cachée dans le sillon de son ventre. Simplement elle prit O par les cheveux pour l'appuyer plus fort contre elle, et ne la laissa aller que pour lui dire : « Recommence. » O avait pareillement aimé Jacqueline. Elle l'avait tenue abandonnée dans ses bras. Elle l'avait possédée, du moins elle le croyait. Mais l'identité des gestes ne signifie rien. O ne possédait pas Anne-Marie. Personne ne possédait Anne-Marie. Anne-Marie exigeait les caresses sans se soucier de ce qu'éprouvait qui les lui donnait, et elle se livrait avec une liberté insolente. Pourtant, elle fut tendre et douce avec O, lui embrassa la bouche et les seins, et la tint contre elle une heure encore avant de la renvoyer. Elle lui avait enlevé ses fers. « Ce sont les dernières heures, lui avait-elle dit, où tu vas dormir sans porter de fers. Ceux qu'on te mettra tout à l'heure ne pourront plus s'enlever. » Elle avait doucement et longuement passé sa main sur les reins d'O, puis l'avait emmenée dans la pièce où elle s'habillait, la seule de la maison où il y eût une glace à trois faces, toujours fermée. Elle avait ouvert la glace, pour qu'O pût se voir. « C'est la dernière fois que tu te vois intacte, lui dit-elle. C'est ici, où tu es si ronde et lisse, que l'on t'imprimera les initiales de Sir Stephen, de part et d'autre de la fente de tes reins. Je te ramènerai devant la glace la veille de ton départ, tu ne te reconnaîtras plus. Mais Sir Stephen a raison. Va dormir, O. » Mais l'angoisse tint O éveillée, et lorsque

Colette vint la chercher, à dix heures, elle dut l'aider à se baigner, à se coiffer, et lui farder les lèvres, O tremblait de tous ses membres ; elle avait entendu le portail s'ouvrir : Sir Stephen était là. « Allons, viens O, dit Yvonne, il t'attend. »

Le soleil était déjà haut dans le ciel, pas un souffle d'air ne faisait bouger les feuilles du hêtre : on aurait dit un arbre de cuivre. Le chien accablé par la chaleur gisait au pied de l'arbre, et comme le soleil n'était pas encore derrière la plus grande masse du hêtre, il transperçait l'extrémité de la branche qui seule à cette heure-là faisait ombre sur la table : la pierre était semée de taches claires et tièdes. Sir Stephen était debout, immobile, à côté de la table, Anne-Marie assise auprès de lui. « Voilà, dit Anne-Marie quand Yvonne eut amené O devant lui, les anneaux peuvent être posés quand vous voudrez, elle est percée. » Sans répondre, Sir Stephen attira O dans ses bras, l'embrassa sur la bouche, et la soulevant tout à fait, la coucha sur la table, où il demeura penché sur elle. Puis il l'embrassa encore, lui caressa les sourcils et les cheveux, et se redressant, dit à Anne-Marie : « Tout de

suite, si vous voulez bien. » Anne-Marie prit
le coffret de cuir qu'elle avait apporté et mis
sur un fauteuil, et tendit à Sir Stephen
les anneaux disjoints qui portaient le nom
d'O et le sien. « Faites », dit Sir Stephen.
Yvonne releva les genoux d'O, et O sentit le
froid du métal qu'Anne-Marie glissait dans
sa chair. Au moment d'emboîter la seconde
partie de l'anneau dans la première, Anne-
Marie prit soin que la face niellée d'or fût
contre la cuisse, et la face portant l'inscription vers l'intérieur. Mais le ressort était si
dur que les tiges n'entraient pas à fond. Il
fallut envoyer Yvonne chercher un marteau.
Alors on redressa O, et la penchant jambes
écartées, sur le rebord de la dalle de pierre
qui faisait office d'enclume où appuyer alter-
nativement l'extrémité des deux chaînons,
on put, en frappant sur l'autre extrémité,
les river. Sir Stephen regardait sans mot
dire. Quand ce fut fini, il remercia Anne-
Marie, et aida O à se mettre debout. Elle
s'aperçut alors que ces nouveaux fers étaient
beaucoup plus lourds que ceux qu'elle avait
provisoirement portés les jours précédents.
Mais ceux-ci étaient définitifs. « Votre chiffre
maintenant, n'est-ce pas ? » dit Anne-Marie

à Sir Stephen. Sir Stephen acquiesça d'un signe de tête, et soutint O qui chancelait, par la taille ; elle n'avait pas son corselet noir, mais il l'avait si bien cintrée qu'elle paraissait prête à se briser tant elle était mince. Ses hanches en semblaient plus rondes et ses seins plus lourds. Dans la salle de musique où, suivant Anne-Marie et Yvonne, Sir Stephen porta plus qu'il ne conduisit O, Colette et Claire étaient assises au pied de l'estrade. Elles se levèrent à leur entrée. Sur l'estrade, il y avait un gros réchaud rond à une bouche. Anne-Marie pris les sangles dans le placard et fit lier étroitement O à la taille et aux jarrets, le ventre contre une des colonnes. On lui lia aussi les mains et les pieds. Perdue dans son épouvante, elle sentit la main d'Anne-Marie sur ses reins, qui indiquait où poser les fers, elle entendit le sifflement d'une flamme, et dans un total silence, la fenêtre qu'on fermait. Elle aurait pu tourner la tête, regarder. Elle n'en avait pas la force. Une seule abominable douleur la transperça, la jeta hurlante et raidie dans ses liens, et elle ne sut jamais qui avait enfoncé dans la chair de ses fesses les deux fers rouges à la fois, ni quelle voix avait compté lentement jusqu'à cinq, ni sur le geste de qui ils avaient été retirés. Quand on la détacha, elle glissa dans les bras d'Anne-Marie, et eut le temps, avant que tout eût tourné et noirci autour d'elle, et qu'enfin tout sentiment l'eût quittée, d'entrevoir, entre deux vagues de nuit, le visage livide de Sir Stephen.

Sir Stephen ramena O à Paris dix jours avant la fin de juillet. Les fers qui trouaient le lobe gauche de son ventre et portaient en toutes lettres qu'elle était la propriété de Sir Stephen, lui descendaient jusqu'au tiers de la cuisse, et à chacun de ses pas bougeaient entre ses jambes comme un battant de cloche, le disque gravé étant plus lourd et plus long que l'anneau auquel il pendait. Les marques imprimées par le fer rouge, hautes de trois doigts et larges de moitié leur hauteur, étaient creusées dans la chair comme par une gouge, à près d'un centimètre de profondeur. Rien que de les effleurer, on les percevait sous le doigt. De ces fers et de ces marques, O éprouvait une fierté insensée. Jacqueline eût été là, qu'au lieu de tenter de lui cacher qu'elle les por-

tait, comme elle avait fait des traces de
coups de cravache que Sir Stephen lui avait
infligés les derniers jours d'avant son départ,
elle aurait couru chercher Jacqueline pour
les lui montrer. Mais Jacqueline ne reviendrait que huit jours plus tard. René n'était
pas là. Durant ces huit jours, O, à la
demande de Sir Stephen, se fit faire quelques robes pour le grand soleil et quelques
robes du soir très légères. Il ne lui permit
que des variantes de deux modèles, l'une
qu'une fermeture Eclair ouvrait ou fermait
de haut en bas (O en possédait déjà de semblables), l'autre composée d'une jupe éventail, qui se retrousse d'un geste, mais toujours à corselet montant jusque sous les
seins, et portée avec un boléro fermé au
cou. Il suffisait d'enlever le boléro pour que
les épaules et les seins fussent nus, et sans
même enlever le boléro, de l'ouvrir, si l'on
désirait voir les seins. De maillot de bain,
il n'était pas question, O ne pouvait en porter : les fers de son ventre auraient dépassé
sous le maillot. Sir Stephen lui dit que cet
été, elle se baignerait nue, quand elle se
baignerait. O avait pu se rendre compte
qu'il aimait à tout instant, quand elle était

près de lui, même ne la désirant pas, et pour ainsi dire machinalement, la prendre au ventre, saisir et tirer à plein poing sa toison, l'ouvrir et la fouiller longuement de la main. Le plaisir qu'O prenait, elle, à tenir Jacqueline pareillement moite et brûlante resserrée sur sa main, lui était témoin et garant du plaisir de Sir Stephen. Elle comprenait qu'il ne voulût pas qu'il lui fût rendu moins facile.

Avec les twills rayés ou à pois, gris et blanc, bleu marine et blanc, qu'O choisit, à jupe plissée soleil et petit boléro ajusté et fermé, ou les robes plus sévères en cloqué de nylon noir, à peine fardée, sans chapeau, et les cheveux libres, elle avait l'air d'une jeune fille sage. Partout où Sir Stephen l'emmenait, on la prenait pour sa fille, ou pour sa nièce, d'autant plus que maintenant il la tutoyait, et qu'elle continuait à lui dire vous. Seuls tous deux dans Paris et se promenant dans les rues à regarder les boutiques, ou le long des quais où les pavés étaient poussiéreux tant il faisait sec, ils voyaient sans étonnement les passants leur sourire, comme on fait aux gens heureux. Il arrivait à Sir Stephen de la pousser dans une embrasure de porte cochère, ou sous une voûte d'immeuble, toujours un peu noire, par où montait une haleine de cave, et il l'embrassait et lui disait qu'il l'aimait. O accrochait ses hauts talons au bas de la porte cochère dans lequel la petite porte ordinaire est découpée. On apercevait un fond de cour où des linges séchaient aux fenêtres. Accoudée à un balcon, une fille blonde les regardait fixement, un chat leur filait entre les jambes. Ils se promenèrent ainsi aux Gobelins, à Saint-Marcel, rue Mouffetard, au Temple, à la Bastille. Une fois Sir Stephen fit brusquement entrer O dans un misérable hôtel de passe, où le tenancier voulut d'abord leur faire remplir des fiches, puis dit que ce n'était pas la peine, si c'était pour une heure. Le papier de la chambre était bleu avec d'énormes pivoines dorées, la fenêtre donnait sur un puits d'où montait l'odeur des boîtes à ordures. Si faible que fût l'ampoule à la tête du lit, on voyait sur le marbre de la cheminée de la poudre de riz renversée et des épingles neige. Au plafond, au-dessus du lit, il y avait un grand miroir.

Une seule fois, Sir Stephen invita avec O,

à déjeuner, deux de ses compatriotes de passage. Il vint la chercher une heure avant qu'elle fût prête, quai de Béthune, au lieu de la faire venir chez lui. O était baignée, mais ni coiffée, ni maquillée, ni habillée. Elle vit avec surprise que Sir Stephen avait à la main une sacoche à clubs de golf. Mais son étonnement passa vite : Sir Stephen lui dit d'ouvrir la sacoche. Elle contenait plusieurs cravaches de cuir, deux de cuir rouge un peu épaisses, deux très minces et longues en cuir noir, un fouet de flagellant à très longues lanières de cuir vert, chacune repliée et formant boucle à son extrémité, un autre de cordelettes à nœuds, un fouet de chien fait d'une seule et épaisse lanière de cuir, dont le manche était de cuir tressé, enfin des bracelets de cuir comme ceux de Roissy, et des cordes. O rangea tout, côte à côte, sur le lit ouvert. Quelque habitude ou quelque résolution qu'elle eût, elle tremblait ; Sir Stephen la prit dans ses bras. « Qu'est-ce que tu préfères, O ? » lui dit-il. Mais elle pouvait à peine parler, et, d'avance, sentait la sueur lui couler des aisselles. « Qu'est-ce que tu préfères ? » répéta-t-il. « Bon, dit-il devant son silence, tu vas d'abord m'aider. »

Il lui réclama des clous, et ayant trouvé comment disposer, pour faire une manière de décoration, fouets et cravaches entrecroisés, montra à O qu'à droite de sa psyché, et face à son lit, un panneau de boiserie entre la psyché et la cheminée se prêtait à les recevoir. Il fixa les clous. Aux extrémités des manches des fouets et des cravaches, il y avait des anneaux que l'on pouvait accrocher aux crochets des clous X, ce qui permettait d'enlever et de reposer chaque fouet facilement ; avec les bracelets et les cordes roulées, O aurait ainsi, face à son lit, la panoplie complète de ses instruments de supplice. C'était une jolie panoplie, aussi harmonieuse que la roue et les tenailles dans les tableaux qui représentent sainte Catherine martyre, que le marteau et les clous, la couronne d'épines, la lance et les verges dans les tableaux de la Passion. Lorsque Jacqueline reviendrait... mais il s'agissait bien de Jacqueline. Il fallait répondre à la question de Sir Stephen : O ne le pouvait pas, il choisit lui-même le fouet à chiens.

Chez La Pérouse, dans un minuscule cabinet particulier du deuxième étage, où des personnages à la Watteau, de couleurs claires

un peu effacées, ressemblaient sur les murs
sombres à des acteurs de théâtre de poupée,
O fut installée seule sur le divan, un des
amis de Sir Stephen à sa droite, l'autre à
sa gauche, chacun dans un fauteuil, et Sir
Stephen en face d'elle. Elle avait déjà vu
l'un des hommes à Roissy, mais elle ne se
souvenait pas lui avoir appartenu. L'autre
était un grand garçon roux aux yeux gris,
qui n'avait sûrement pas vingt-cinq ans. Sir
Stephen leur dit en deux mots pourquoi il
avait invité O, et ce qu'elle était. O s'étonna
une fois de plus, en l'écoutant, de la brutalité de son langage. Mais aussi comment
voulait-elle donc que fût qualifiée, sinon de
putain, une fille qui consentait, devant trois
hommes, sans compter les garçons du restaurant qui entraient et sortaient, le service
n'étant pas fini, à ouvrir son corsage pour
montrer ses seins, dont on voyait que la
pointe était fardée, et dont on voyait aussi,
par deux sillons violets en travers de la
peau blanche, qu'ils avaient été cravachés ?
Le repas fut très long, et les deux Anglais
burent beaucoup. Au café, quand les
liqueurs eurent été apportées, Sir Stephen
repoussa la table vers la paroi opposée, et

après lui avoir relevé sa jupe pour que ses amis voient comment O était chiffrée et ferrée, la leur laissa. L'homme qu'elle avait rencontré à Roissy eut vite fait d'elle, exigeant aussitôt sans quitter son fauteuil ni la toucher du bout des doigts, qu'elle s'agenouillât devant lui, lui prît et lui caressât le sexe, jusqu'à ce qu'il pût se répandre dans sa bouche. Après quoi, il la fit le rajuster, et partit. Mais le garçon roux que la soumission d'O, ses fers, et ce qu'il avait aperçu des lacérations sur son corps bouleversaient, au lieu de se jeter sur elle comme O s'y attendait, la prit par la main, descendit avec elle l'escalier sans un regard aux sourires narquois des garçons, et ayant fait appeler un taxi, l'emmena dans sa chambre d'hôtel. Il ne la laissa s'en aller qu'à la nuit tombée, après lui avoir avec frénésie labouré le ventre et les reins, qu'il lui meurtrit, tant il était épais et roide, et rendu fou par la soudaine liberté où il était pour la première fois de pénétrer une femme doublement, comme de se faire embrasser par elle, de la même façon qu'il venait de voir qu'on pouvait l'exiger d'elle (ce qu'il n'avait jamais osé demander à personne). Le lendemain,

lorsqu'à deux heures O arriva chez Sir Stephen qui l'avait fait appeler, elle le trouva
le visage grave, et l'air vieilli. « Eric est
tombé amoureux fou de toi, O, lui dit-il. Il
est venu ce matin me supplier de te rendre
ta liberté, et me dire qu'il voulait t'épouser.
Il veut te sauver. Tu vois ce que je fais de
toi si tu es à moi, O, et si tu es à moi tu n'es
pas libre de refuser, mais tu es toujours
libre, tu le sais, de refuser d'être à moi. Je
le lui ai dit. Il revient à trois heures. » O se
mit à rire. « Est-ce que ce n'est pas un peu
tard ? dit-elle. Vous êtes fous tous les deux.
Si Eric n'était pas venu ce matin, qu'auriez-
vous fait de moi cet après-midi ? On se serait
promenés, et c'est tout ? Alors allons nous
promener ; ou bien vous ne m'auriez pas
appelée, peut-être ? Alors je m'en vais...
— Non, reprit Sir Stephen, je t'aurais appelée, O, mais pas pour nous promener. Je
voulais... — Dites. — Viens, ce sera plus
simple. » Il se leva et ouvrit une porte sur
la paroi face à la cheminée, symétrique de
celle par où l'on entrait dans son bureau.
O avait toujours cru que c'était une porte
de placard, condamnée. Elle vit un très
petit boudoir, peint à neuf, et tendu de soie

rouge foncé, dont la moitié était occupée par une estrade arrondie, flanquée de deux colonnes, identiques à l'estrade de la salle de musique de Samois. « Les murs et le plafond sont doublés de liège, n'est-ce pas, dit O, et la porte capitonnée, et vous avez fait installer une double fenêtre ? » Sir Stephen fit oui de la tête. « Mais depuis quand ? dit O. — Depuis ton retour. — Alors pourquoi ?... — Pourquoi j'ai attendu jusqu'à aujourd'hui ? Parce que j'ai attendu de te faire passer entre d'autres mains que les miennes. Je t'en punirai, maintenant. Je ne t'ai jamais punie, O. — Mais je suis à vous, dit O, punissez-moi. Quand Eric viendra... »

Une heure plus tard, mis en présence d'O grotesquement écartelée entre les deux colonnes, le garçon blêmit, balbutia et disparut. O pensait ne jamais le revoir. Elle le retrouva à Roissy, à la fin du mois de septembre, où il se la fit livrer trois jours de suite et la maltraita sauvagement.

IV

LA CHOUETTE

Qu'O ait pu hésiter à parler à Jacqueline de ce que René appelait à juste titre sa véritable condition, c'est ce qu'elle ne comprenait plus. Anne-Marie lui avait bien dit qu'elle serait changée quand elle sortirait de chez elle. Elle n'aurait jamais cru que ce pût être à ce point. Il lui parut naturel, Jacqueline revenue, plus radieuse et plus fraîche que jamais, de ne pas plus se cacher désormais pour se baigner ou s'habiller, qu'elle ne faisait quand elle était seule. Cependant Jacqueline prêtait si peu d'intérêt à ce qui n'était pas elle-même, qu'il fallut, le surlendemain de son retour, qu'elle entrât par hasard dans la salle de bains au moment où O, sortant de l'eau et enjambant le rebord de la baignoire, fit tinter contre l'émail les fers de son ventre pour que le bruit insolite attirât son attention. Elle tourna la tête et vit à la fois le disque qui pendait entre les jambes d'O, et les zébrures qui lui rayaient les cuisses et les seins. « Qu'est-ce que tu as ? dit-elle. — C'est Sir Stephen », répondit O. Et elle ajouta, comme une chose qui allait de soi : « René m'avait donnée à lui, et il m'a fait ferrer à son nom. Regarde. » Et tout en s'essuyant avec le peignoir de bain, elle s'approcha de Jacqueline qui, de saisissement, s'était assise sur le tabouret laqué, assez près pour qu'elle pût prendre à la main le disque et lire l'inscription ; puis faisant glisser son peignoir se retourna, désigna de la main le S et l'H qui creusaient ses fesses, et dit : « Il m'a fait aussi marquer à son chiffre. Le reste, ce sont des coups de cravache. Il me fouette généralement lui-même, mais il me fait aussi fouetter par sa servante noire. » Jacqueline regarda O sans pouvoir prononcer une parole. O se mit à rire, puis voulut l'embrasser. Jacqueline épouvantée la repoussa et se sauva dans la chambre. O finit tranquillement de se sécher, se parfuma, se brossa les cheveux. Elle mit sa guêpière, ses bas, ses mules, et quand elle poussa la porte à son tour, rencontra dans la glace le regard de Jacqueline qui se peignait devant la psyché sans avoir conscience de ce qu'elle faisait. « Serre-moi ma guêpière, dit-elle. Tu fais bien l'étonnée. René est amoureux de toi, il ne t'a donc rien dit ? — Je ne comprends pas », dit Jacqueline. Et avouant du premier coup ce qui la surprenait le plus : « Tu as l'air d'être fière, je ne comprends pas. — Quand René t'emmènera à Roissy, tu comprendras. Est-ce que tu as commencé à coucher avec lui ? » Un flot de sang envahit le visage de Jacqueline qui fit non de la tête avec une telle mauvaise foi qu'O éclata encore de rire. « Tu mens, mon chéri, tu es stupide. Tu as bien le droit de coucher avec lui. Et ce n'est pas une raison pour me repousser. Laisse-moi te caresser, je te raconterai Roissy. » Jacqueline avait-elle craint une violente scène de jalousie d'O, et

céda-t-elle par soulagement, ou par curiosité, pour obtenir d'O des explications, ou
simplement parce qu'elle aimait la patience,
la lenteur, la passion avec lesquelles O la
caressait ? Elle céda. « Raconte », dit-elle
ensuite à O. « Oui, dit O. Mais embrasse-moi
d'abord le bout des seins. Il est temps que
tu t'habitues, si tu veux servir à quelque
chose à René. » Jacqueline obéit, et si bien
qu'elle fit gémir O. « Raconte », dit-elle
encore.

Le récit d'O, pour fidèle et clair qu'il fût,
et en dépit de la preuve matérielle, qu'elle-
même constituait, parut à Jacqueline déli-
rant. « Tu y retournes en septembre ? dit-
elle. — Quand nous reviendrons du Midi, dit
O. Je t'emmènerai ou René t'emmènera.
— Voir, je voudrais bien, reprit Jacqueline,
mais voir seulement. — Sûrement c'est possible », dit O, qui était convaincue du
contraire, mais se disait que si elle pouvait,
elle, persuader Jacqueline de franchir les
grilles de Roissy, Sir Stephen lui en saurait
gré — et qu'il y aurait ensuite assez de
valets, de chaînes et de fouets pour apprendre à Jacqueline la complaisance. Elle savait
déjà que dans la villa que Sir Stephen avait

louée près de Cannes, où elle devait passer
le mois d'août avec René, Jacqueline et lui,
et la petite sœur de Jacqueline, que celle-ci
avait demandé la permission d'emmener —
non qu'elle y tînt, mais parce que sa mère
la harcelait pour qu'elle y fît consentir O —,
elle savait que la chambre qu'elle occuperait,
et où Jacqueline ne pourrait guère refuser de
faire au moins la sieste avec elle, quand
René ne serait pas là, était séparée de la
chambre de Stephen par une paroi qui semblait pleine mais ne l'était pas, et dont la
décoration en trompe l'œil, à claire-voie sur
un treillis, permettait, en relevant un store,
de voir et d'entendre aussi bien que si l'on
eût été debout à côté du lit. Jacqueline serait
livrée aux regards de Sir Stephen, quand O
la caresserait, et elle l'apprendrait trop tard
pour s'en défendre. Il était doux à O de se
dire que par trahison elle livrerait Jacqueline, parce qu'elle se sentait insultée de voir
que Jacqueline méprisait cette condition
d'esclave marquée et fouettée dont O était
fière.

O n'était jamais allée dans le Midi. Le ciel

bleu et fixe, la mer qui bougeait à peine, les
pins immobiles sous le haut soleil, tout lui
parut minéral et hostile. « Pas de vrais
arbres », disait-elle tristement, devant les
bois odorants pleins de cystes et d'arbou-
siers, où toutes les pierres, et jusqu'aux
lichens, étaient tièdes sous la main. « La
mer ne sent pas la mer », disait-elle encore.
Elle lui reprochait de ne rejeter que de
méchantes algues rares et jaunâtres qui
ressemblaient à du crottin, d'être trop bleue,
de lécher le rivage toujours à la même place.
Mais dans le jardin de la villa, qui était une
vieille ferme aménagée à neuf, on était loin
de la mer. De grands murs à droite et à
gauche protégeaient des voisins ; l'aile des
domestiques donnait dans la cour d'entrée,
sur l'autre façade, et la façade sur le jardin,
où la chambre d'O ouvrait de plain-pied sur
une terrasse, au premier étage, était exposée
à l'est. La cime de grands lauriers noirs
affleurait les tuiles creuses achevalées qui
servaient de parapet à la terrasse ; un lattis
de roseaux la protégeait du soleil de midi, le
carrelage rouge qui en couvrait le sol était
le même que celui de la chambre. La paroi
qui séparait la chambre d'O de celle de Sir

Stephen exceptée — et c'était la paroi d'une grande alcôve délimitée par une arche et séparée du reste de la chambre par une sorte de barrière semblable à la rampe d'un escalier, à balustres de bois tourné — les autres murs étaient chaulés de blanc. Les épais tapis blancs sur le carrelage étaient en coton, les rideaux en toile jaune et blanche. Il y avait deux fauteuils recouverts de même toile, et des matelas cambodgiens bleus, repliés en trois. Pour tout mobilier une très belle commode ventrue, en noyer, d'époque Régence, et une très longue et étroite table paysanne, blonde, cirée comme un miroir. O rangeait ses robes dans une penderie. Le dessus de la commode lui servait de coiffeuse. On avait logé la petite Natalie tout près de la chambre d'O, et le matin, quand elle savait qu'O prenait son bain de soleil sur la terrasse, elle venait la rejoindre et s'étendre auprès d'elle. C'était une petite fille très blanche, ronde et pourtant fine, les yeux tirés vers les tempes comme ceux de sa sœur, mais noirs et luisants, ce qui lui donnait l'air chinois. Ses cheveux noirs étaient coupés droit au-dessus des sourcils, en frange épaisse, et droit au-dessus de la nuque. Elle avait de petits seins fermes et frémissants, des hanches enfantines à peine renflées. Elle aussi avait vu O par surprise, en pénétrant en courant sur la terrasse où elle croyait trouver sa sœur, et où O était seule, couchée à plat ventre sur une cambodgienne. Mais ce qui avait révolté Jacqueline la bouleversa de désir et d'envie ; elle interrogea sa sœur. Les réponses par quoi Jacqueline crut la révolter aussi, en lui racontant ce qu'O elle-même lui avait raconté, ne changèrent rien à l'émotion de Natalie, au contraire. Elle était tombée amoureuse d'O. Elle parvint à s'en taire plus d'une semaine, puis une fin d'après-midi de dimanche, elle s'arrangea pour se trouver seule avec O.

Il avait fait moins chaud que de coutume. René, qui avait nagé une partie de la matinée, dormait sur le divan d'une pièce fraîche au rez-de-chaussée. Jacqueline, piquée de voir qu'il préférait dormir, avait rejoint O dans son alcôve. La mer et le soleil l'avaient déjà dorée davantage : ses cheveux, ses sourcils, ses cils, la toison de son ventre, ses aisselles semblaient poudrés d'argent, et comme elle n'était pas du tout fardée, sa

bouche était du même rose que la chair rose
au creux de son ventre. Pour que Sir Stephen — dont O se disait qu'elle eût, à la
place de Jacqueline, pressenti, deviné, perçu
la présence invisible —, pût la voir en détail,
O eut soin à plusieurs reprises de lui renverser les jambes en les lui maintenant
ouvertes en pleine lumière : elle avait allumé la lampe de chevet. Les volets étaient
tirés, la chambre presque obscure, malgré
des rais de clarté à travers les bois mal
jointés. Jacqueline gémit plus d'une heure
sous les caresses d'O, et enfin les seins dressés, les bras rejetés en arrière, serrant à
pleines mains les barreaux de bois qui formaient la tête de son lit à l'italienne, commença à crier lorsque O, tenant écartés les
lobes ourlés de cheveux pâles, se mit à
mordre lentement la crête de chair où se
rejoignaient, entre les cuisses, les fines et
souples petites lèvres. O la sentait brûlante
et raidie sous sa langue, et la fit crier sans
relâche, jusqu'à ce qu'elle se détendît d'un
seul coup, ressorts cassés, moite de plaisir.
Puis elle la renvoya dans sa chambre, où
elle dormit ; elle était réveillée et prête
quand à cinq heures René vint la chercher

pour aller en mer, avec Natalie, sur un
petit bateau à voiles, comme ils avaient pris
l'habitude de faire ; en fin d'après-midi
un peu de brise se levait. « Où est natalie ? » dit René. Natalie n'était pas dans
sa chambre, ni dans la maison. On l'appela
dans le jardin. René alla jusqu'au petit bois
de chênes-lièges qui faisait suite au jardin,
personne ne répondit. « Elle est peut-être
déjà à la crique, dit René, ou dans le
bateau. » Ils partirent sans appeler davantage. Ce fut alors qu'O, étendue sur une
cambodgienne, sur sa terrasse, aperçut à travers les tuiles de la balustrade Natalie
qui courait vers la maison. Elle se leva, passa
sa robe de chambre — elle était nue, tant
il faisait encore chaud — et nouait la ceinture quand Natalie entra comme une furie
et se jeta sur elle. « Elle est partie, enfin
elle est partie, criait-elle. Je l'ai entendue,
O, je vous ai entendues, j'ai écouté à la
porte. Tu l'embrasses, tu la caresses. Pourquoi tu ne me caresses pas moi, pourquoi
tu ne m'embrasses pas ? C'est parce que je
suis noire, et pas jolie ? Elle ne t'aime pas,
O, et moi je t'aime. » Et elle éclata en sanglots. « Allons bon », se dit O. Elle poussa

la petite fille dans un fauteuil, prit un grand mouchoir dans sa commode (c'était un mouchoir de Sir Stephen) et quand les sanglots de Natalie furent un peu calmés, lui essuya le visage. Natalie lui demanda pardon, en lui baisant les mains. « Même si tu ne veux pas m'embrasser, O, garde-moi près de toi. Garde-moi près de toi tout le temps. Si tu avais un chien, tu le garderais bien. Si tu ne veux pas m'embrasser, mais que ça t'amuse de me battre, tu peux me battre, mais ne me renvoie pas. — Tais-toi, Natalie, tu ne sais pas ce que tu dis », murmura O tout bas. La petite, tout bas aussi, et glissant aux genoux d'O qu'elle enserra, répliqua : « Oh ! si, je sais bien. Je t'ai vue l'autre matin sur la terrasse. J'ai vu les initiales, et que tu avais de grandes marques bleues. Et Jacqueline m'a dit — T'a dit quoi ? — Où tu avais été, O, et ce qu'on te faisait. — Elle t'a parlé de Roissy ? — Elle m'a dit aussi que tu avais été, que tu étais... — Que j'étais ? — Que tu portes des anneaux de fer. — Oui, dit O, et puis ? — Et puis que Sir Stephen te fouette tous les jours. — Oui, dit encore O, et maintenant il va venir dans un instant. Va-t'en Natalie. » Natalie, sans bouger, leva la tête vers O, et O rencontra son regard plein d'adoration. « Apprends-moi, O, je t'en supplie, reprit-elle, je voudrais être comme toi. Je ferai tout ce que tu me diras. Promets-moi de m'emmener quand tu retourneras là où Jacqueline m'a dit. — Tu es trop petite, dit O. — Non, je ne suis pas trop petite, j'ai plus de quinze ans, cria-t-elle furieuse, je ne suis pas trop petite, demande à Sir Stephen », répéta-t-elle — car il entrait.

Natalie obtint de demeurer près d'O et la promesse qu'elle serait emmenée à Roissy. Mais Sir Stephen interdit à O de lui apprendre la moindre caresse, de l'embrasser fût-ce sur la bouche, et de se laisser embrasser par elle. Il entendait qu'elle arrivât à Roissy sans avoir été touchée par les mains ou les lèvres de qui que ce fût. Par contre il exigea, puisqu'elle voulait ne pas quitter O, qu'elle ne la quittât à aucun moment, qu'elle vît aussi bien O caresser Jacqueline, que le caresser et se livrer à lui, tout comme être fouettée par lui ou passée aux verges par la vieille Norah. Les baisers dont O couvrait sa sœur, la bouche d'O sur la bouche de sa sœur, firent trembler Natalie de jalousie et de haine. Mais blottie sur le tapis dans l'alcôve au pied du lit d'O comme la petite Dinarzade au pied du lit de Schéhérazade, elle regarda chaque fois O liée à la balustrade de bois se tordre sous la cravache, O à genoux recevoir humblement dans sa bouche l'épais sexe dressé de Sir Stephen, O prosternée écarter elle-même ses fesses à deux mains pour lui offrir le chemin de ses reins, sans autres sentiments que l'admiration, l'impatience et l'envie.

Peut-être O avait-elle trop compté sur l'indifférence à la fois et la sensualité de Jacqueline, peut-être Jacqueline estima-t-elle naïvement dangereux pour elle, par rapport à René, de se prêter tellement à O, toujours est-il qu'elle cessa tout d'un coup. Vers le même temps, il sembla qu'elle se mît à tenir René, avec qui elle passait presque toutes ses nuits et toutes ses journées, comme à distance. Jamais elle n'avait eu avec lui l'attitude d'une amoureuse. Elle le regardait froidement, et quand elle lui souriait, le sourire n'allait pas jusqu'à ses yeux. En admettant qu'elle fût avec lui aussi abandonnée qu'elle l'était avec O, ce qui était probable, O ne pouvait s'empêcher de croire que cet abandon n'engageait pas Jacqueline à grand-chose. Tandis qu'on sentait René perdu de désir devant elle, et paralysé par un amour inconnu de lui jusque-là, un amour inquiet, mal assuré de retour, et qui craint de déplaire. Il vivait, il dormait dans la même maison que Sir Stephen, dans la même maison qu'O, il déjeunait, dînait, il sortait et se promenait avec Sir Stephen, avec O, il leur parlait : il ne les voyait, pas, il ne les entendait pas. Il voyait, entendait, parlait à travers eux, au-delà d'eux, et sans cesse essayait d'atteindre, dans un effort muet et harassant, semblable aux efforts qu'on fait dans les rêves pour sauter dans le tram qui part, pour se rattraper au parapet du pont qui s'effondre, essayait d'atteindre la raison d'être, la vérité de Jacqueline qui devaient exister quelque part à l'intérieur de sa peau dorée, comme sous la porcelaine le mécanisme qui fait crier les poupées. « Le voilà donc, se disait O, le voilà venu le jour dont j'avais tellement peur, où je serais pour René une ombre dans une vie passée. Et je ne suis même pas triste, et il me fait seulement pitié, et je

peux le voir chaque jour sans être offensée
qu'il ne me désire plus, sans amertume,
sans regret. Pourtant, il y a quelques
semaines seulement, j'ai couru le supplier
de me dire qu'il m'aimait. Etait-ce cela mon
amour ? Si léger, si facilement consolé ?
Consolé, même pas : je suis heureuse. Suf-
fisait-il donc qu'il m'ait donnée à Sir Stephen
pour que je me détache de lui, et qu'entre
des bras nouveaux je naisse si facilement
à un nouvel amour ? » Mais aussi, qu'était
René auprès de Sir Stephen ? Corde de foin,
amarre de paille, boulets de liège, voilà de
quoi les liens véritables dont il l'avait fait
attacher, pour si vite y renoncer, étaient le
symbole. Mais quel repos, quel délice l'anneau de fer qui troue la chair et pèse pour
toujours, la marque qui ne s'effacera jamais,
la main d'un maître qui vous couche sur un
lit de roc, l'amour d'un maître qui sait s'ap-
proprier sans pitié ce qu'il aime. Et O se
disait que finalement elle n'avait aimé René
que pour apprendre l'amour et mieux savoir
se donner, esclave et comblée, à Sir Stephen.
Mais de voir René, qui avec elle avait été
si libre — et elle l'avait aimé de sa liberté
— marcher comme entravé, comme les

jambes prises dans l'eau et les roseaux d'un étang qui semble immobile, mais le courant est dans les couches profondes, soulevait O de haine contre Jacqueline. René le devina-t-il, O imprudente le laissa-t-elle voir ? Elle commit une faute. Elles étaient allées un après-midi à Cannes, ensemble, mais seules, chez le coiffeur, puis avaient pris des glaces à la terrasse de la Réserve. Jacqueline, en pantalon corsaire et chandail de lin noirs, éteignait autour d'elle jusqu'à l'éclat des enfants, si lisse, si dorée, si dure, et si claire dans le plein soleil, si insolente, si fermée. Elle dit à O qu'elle avait rendez-vous avec le metteur en scène qui l'avait fait tourner à Paris, pour tourner en extérieurs, probablement dans la montagne derrière Saint-Paul-de-Vence. Le garçon était là, droit et résolu. Il n'avait pas besoin de parler. Qu'il fût amoureux de Jacqueline allait sans dire. Il suffisait de le voir la regarder. Quoi de surprenant ? Ce qui l'était davantage, c'était Jacqueline. A demi étendue dans un des grands fauteuils basculants, Jacqueline l'écoutait, qui parlait de dates à fixer, et de rendez-vous à prendre, et de la difficulté de trouver assez d'argent pour terminer le film

entrepris. Il tutoyait Jacqueline, qui répondait en faisant oui et non de la tête, et fermait à demi les yeux. O était assise en face,
le garçon entre elles deux. Elle n'eut pas de
peine à remarquer que Jacqueline, de ses
yeux baissés, et à l'abri de ses paupières
immobiles, guettait le désir du garçon,
comme elle faisait toujours en croyant que
personne ne s'en apercevait. Mais le plus
étrange fut de l'en voir troublée, les mains
défaites le long d'elle, sans une ombre de
sourire, grave, et comme O ne l'avait jamais
vue devant René. Un sourire d'une seconde
à peine sur ses lèvres, quand O se pencha
pour reposer sur la table son verre d'eau
glacée, et que leurs regards se croisèrent, et
O comprit que Jacqueline se rendait compte
qu'elle était devinée. Elle n'en fut pas déran-
gée, ce fut O qui rougit. « Tu as trop
chaud ? dit Jacqueline. On s'en va dans
cinq minutes. Ça te va très bien d'ailleurs. »
Puis elle sourit de nouveau, mais cette fois
avec un si tendre abandon, en levant les
yeux vers son interlocuteur, qu'il semblait
impossible qu'il ne bondît pas pour l'embrasser. Mais non. Il était trop jeune pour
savoir ce qu'il y a d'impudeur dans l'immo-

bilité et le silence. Il laissa Jacqueline se
lever, lui tendre la main, lui dire au revoir.
Elle téléphonerait. Il dit encore au revoir
à l'ombre que pour lui était O, et debout
sur le trottoir, regarda la Buick noire filer
sur l'avenue, entre les maisons que le soleil
brûlait et la mer trop bleue. Les palmiers
avaient l'air découpés dans la tôle, les pro-
meneurs de mannequins de cire mal fondue,
animés par une mécanique absurde. « Il te
plaît tant que cela ? » dit O à Jacqueline,
comme la voiture sortait de la ville et prenait la route de la haute corniche. « Ça
te regarde ? » répondit Jacqueline. « Ça
regarde René », répliqua O. « Ce qui regarde
aussi René, et Sir Stephen, et si j'ai bien
compris, un certain nombre d'autres, reprit
Jacqueline, c'est que tu es bien mal assise.
Tu vas froisser ta robe. » O ne bougea pas.
« Et je croyais, dit encore Jacqueline, que
tu devais aussi ne jamais croiser les
genoux ? » Mais O n'écoutait plus. Que lui
importaient les menaces de Jacqueline ? Si
Jacqueline menaçait de dénoncer O, pour
cette faute vénielle, s'imaginait-elle empêcher ainsi O de la dénoncer à René ? Ce
n'était pas l'envie qui en manquait à O. Mais

René ne supporterait pas d'apprendre que Jacqueline lui mentait, ni qu'elle désirait disposer d'elle en dehors de lui. Comment faire croire à Jacqueline que si O se taisait, ce serait pour ne pas voir René perdre la face, pâlir pour une autre qu'elle, et peut-être avoir la faiblesse de ne pas la punir ? Que ce serait, plus encore, par crainte de voir la colère de René se tourner vers elle, messagère de mauvaises nouvelles, dénonciatrice. Comment dire à Jacqueline qu'elle se tairait, sans avoir l'air de conclure avec elle un marché, donnant donnant ? Car Jacqueline s'imaginait qu'O avait une peur affreuse, une peur qui la glaçait, de ce qui lui serait infligé si Jacqueline parlait.

Quand elles descendirent de voiture, dans la cour de la vieille maison, elles ne s'étaient plus adressé la parole. Jacqueline, sans regarder O, cueillait une tige de géranium blanc dans la bordure de la façade. O la suivait d'assez près pour sentir l'odeur fine et forte de la feuille froissée entre ses mains. Croyait-elle ainsi masquer l'odeur de sa propre sueur, qui plaquait plus étroitement et faisait plus noir sous ses aisselles le lin de son chandail ? Dans la grande salle carre-

lée de rouge et chaulée de blanc, René était
seul. « Vous êtes en retard », dit-il quand
elles entrèrent. « Sir Stephen t'attend à côté,
ajouta-t-il en s'adressant à O, il a besoin de
toi, il n'est pas très content. » Jacqueline éclata de rire, et O la regarda et rougit. « Vous
auriez pu trouver un autre moment », dit
René, qui se trompa sur le rire de Jacqueline et sur le trouble d'O. « Ce n'est pas cela,
dit Jacqueline, mais tu ne sais pas, René,
votre belle obéissante, elle n'est pas si obéissante, quand vous n'êtes pas là. Regarde sa
robe, comme elle est froissée. » O était
debout, au milieu de la pièce, face à René.
Il lui dit de se tourner, elle ne put bouger.
« Elle croise aussi les genoux, dit encore
Jacqueline, mais ça vous ne le verrez pas,
bien sûr. Ni qu'elle raccroche les garçons.
— Ce n'est pas vrai, cria O, c'est toi », et
elle bondit sur Jacqueline. René la saisit
comme elle allait frapper Jacqueline, et elle
se débattait entre ses mains pour le plaisir
de se sentir plus faible, et d'être à sa merci,
quand, relevant la tête, elle aperçut Sir Stephen, dans l'embrasure de la porte, qui la
regardait. Jacqueline s'était rejetée vers le
divan, son petit visage durci par la peur et

par la colère et O sentait que René, tout occupé qu'il fût de la maintenir immobile, n'avait d'attention que pour Jacqueline. Elle cessa de se raidir, et désespérée d'être en faute sous les yeux mêmes de Sir Stephen, répéta encore, cette fois à voix basse : « Ce n'est pas vrai, je vous jure que ce n'est pas vrai. » Sans un mot, et sans un regard à Jacqueline, Sir Stephen fit signe à René de lâcher O, à O de passer. Mais de l'autre côté de la porte, O, aussitôt pressée contre le mur, saisie au ventre et aux seins, la bouche entrouverte par la langue de Sir Stephen, gémit de bonheur et de délivrance. La pointe de ses seins se raidissait sous la main de Sir Stephen. De l'autre main il fouillait si rudement son ventre qu'elle crut s'évanouir. Oserait-elle jamais lui dire qu'aucun plaisir, aucune joie, aucune imagination n'approchait le bonheur qu'elle ressentait à la liberté avec laquelle il usait d'elle, à l'idée qu'il savait qu'il n'avait avec elle aucun ménagement à garder, aucune limite à la façon dont, sur son corps, il pouvait chercher son plaisir. La certitude où elle était que lorsqu'il la touchait, que ce fût pour la caresser ou la battre, que lorsqu'il ordonnait d'elle quelque chose c'était uniquement parce qu'il en avait envie, la certitude qu'il ne tenait compte que de son propre désir comblait O au point que chaque fois qu'elle en avait la preuve, et souvent même quand seulement elle y pensait, une chape de feu, une cuirasse brûlante qui allait des épaules aux genoux, s'abattait sur elle. Comme elle était là, debout contre le mur, les yeux fermés, murmurant je vous aime quand le souffle ne lui manquait pas, les mains de Sir Stephen pourtant fraîches comme source sur ce feu qui montait et descendait le long d'elle la faisaient brûler davantage encore. Il la quitta doucement, rabattant sa jupe sur ses cuisses moites, refermant son boléro sur ses seins dressés. « Viens, O, dit-il, j'ai besoin de toi. » Alors O, ouvrant les yeux, s'aperçut brusquement qu'il y avait là quelqu'un d'autre. La grande pièce nue et chaulée, toute pareille à la salle par laquelle on entrait, ouvrait de même par une grande porte sur le jardin, et sur la terrasse qui précédait le jardin, assis dans un fauteuil d'osier, une cigarette aux lèvres, une sorte de géant au crâne nu, un énorme ventre tendant sa chemise ouverte et son pantalon de toile, regar-

dait O. Il se leva et vint au devant de Sir
Stephen qui poussait O devant lui. O vit
alors sur lui, qui retombait au bout d'une
chaînette de la poche où l'on met la montre,
le disque de Roissy. Cependant Sir Stephen
le présenta courtoisement à O, en disant
« le Commandant » sans lui donner de nom,
et pour la première fois depuis qu'elle
avait affaire à des affiliés de Roissy (Sir Stephen excepté), elle eut la surprise de se voir
baiser la main. Ils rentrèrent tous trois
dans la pièce, laissant la fenêtre ouverte ;
Sir Stephen alla vers la cheminée d'angle et
sonna. O vit sur la table chinoise, à côté du
divan, la bouteille de whisky, le siphon et
les verres. Ce n'était donc pas pour demander à boire. Elle remarqua en même temps,
posé par terre près de la cheminée, un
grand cartonnage blanc. L'homme de Roissy
s'était assis sur un fauteuil de paille, Sir
Stephen, à demi sur la table ronde, une
jambe ballante. O, à qui on avait montré le
divan, avait docilement relevé sa jupe, et
sentait contre ses cuisses le doux piqué de
coton de la couverture provençale. Ce fut
Norah qui entra. Sir Stephen lui dit de
déshabiller O et d'emporter ses vêtements.

O se laissa enlever son boléro, sa robe, la ceinture baleinée qui lui étranglait la taille, ses sandales. Sitôt qu'elle l'eut mise nue, Norah partit, et O, reprise par l'automatisme de la règle de Roissy, certaine que Sir Stephen ne désirait d'elle que sa parfaite docilité, demeura debout au milieu de la pièce, les yeux baissés, si bien qu'elle devina plutôt qu'elle ne vit Natalie se glisser par la fenêtre ouverte, vêtue de noir comme sa sœur, pieds nus et muette. Sans doute Sir Stephen s'était-il expliqué sur Natalie ; il se contenta de la nommer au visiteur, qui ne posa pas de question, et de la prier de verser à boire. Sitôt qu'elle eut donné du whisky, de l'eau de Seltz et de la glace (et dans le silence le seul tintement des cubes de glace heurtant les verres faisait un bruit déchirant), le Commandant, son verre à la main, se leva du fauteuil de paille où il était assis pendant qu'on déshabillait O, et s'approcha d'elle. O crut que de sa main libre, il allait lui prendre un sein ou la saisir au ventre. Mais il ne la toucha pas, se contentant de la regarder de tout près, de sa bouche entrouverte à ses genoux disjoints. Il tourna autour d'elle, attentif à ses seins, à ses cuisses, à ses reins, et cette attention sans un mot, la présence de ce corps gigantesque si proche bouleversait O au point qu'elle ne savait si elle désirait le fuir ou bien au contraire qu'il la renversât et l'écrasât. Elle était si troublée qu'elle perdit contenance et leva les yeux vers Sir Stephen pour chercher secours. Il comprit, sourit, vint près d'elle, et lui prenant les deux mains les lui réunit derrière le dos, dans une des siennes. Elle se laissa aller contre lui, les yeux fermés, et ce fut dans un rêve, ou tout au moins dans le crépuscule d'un demi-sommeil d'épuisement, comme elle avait entendu enfant, à moitié sortie seulement d'une anesthésie, les infirmières qui la croyaient encore endormie parler d'elle, de ses cheveux, de son teint pâle, de son ventre plat où le duvet poussait tout juste, qu'elle entendit l'étranger faire compliment d'elle à Sir Stephen insistant sur l'agrément des seins un peu lourds et de la taille étroite, des fers plus épais, plus longs et plus visibles qu'il n'était coutume. Elle apprit du même coup que sans doute Sir Stephen avait promis de la prêter la semaine suivante, puisqu'on l'en remerciait. Sur quoi Sir Stephen, la prenant par la nuque, lui dit doucement de se réveiller, et de monter l'attendre dans sa chambre avec Natalie.

Etait-ce la peine d'être si troublée, et que Natalie, enivrée de joie à l'idée de voir O ouverte par quelqu'un d'autre que Sir Stephen, dansât autour d'elle une sorte de danse de Peau-Rouge et criât : « Est-ce que tu crois qu'il t'entrera dans la bouche aussi, O ? Tu n'as pas vu comme il te regardait la bouche ? Ah ! que tu es heureuse qu'on ait envie de toi. Surement qu'il te fouettera : il est bien revenu trois fois aux marques où l'on voit que tu as été fouettée. Au moins, pendant ce temps-là, tu ne penseras pas à Jacqueline. — Mais je ne pense pas à Jacqueline tout le temps, répliqua O, tu es stupide. — Non ! je ne suis pas stupide, dit la petite, je sais bien qu'elle te manque. » C'était vrai, mais pas tout à fait. Ce qui manquait à O n'était pas à proprement parler Jacqueline, mais l'usage d'un corps de fille, dont elle pût faire ce qu'elle voulût. Natalie ne lui eût pas été interdite, elle aurait pris Natalie, et le seul motif qui l'empêchait de violer l'interdit était la certitude qu'on lui donnerait Natalie à Roissy dans quelques semaines, et que ce serait auparavant devant elle, et par elle, et grâce à elle, que Natalie serait livrée. La muraille d'air, d'espace, de vide pour tout dire, qui existait entre Natalie et elle, elle brûlait de l'anéantir, et elle goûtait en même temps l'attente où elle était contrainte. Elle le dit à Natalie, qui secoua la tête, et ne la crut pas. « Si Jacqueline était là, dit-elle, et voulait bien, tu la caresserais. — Bien sûr, dit O, en riant. — Tu vois bien... », reprit l'enfant. Comment lui faire comprendre, et cela valait-il la peine, que non, O n'était pas tellement amoureuse de Jacqueline, ni d'ailleurs de Natalie, ni d'aucune fille en particulier, mais seulement des filles en tant que telles, et comme on peut être amoureuse de sa propre image — trouvant toujours plus émouvantes et plus belles les autres qu'elle ne se trouvait elle-même. Le plaisir qu'elle prenait à voir haleter une fille sous ses caresses, et ses yeux se fermer, à faire dresser la pointe de ses seins sous ses lèvres et sous ses dents, à s'enfoncer en elle en lui fouillant le ventre et les reins de sa main — et la sentir se resserrer autour de ses doigts en l'entendant gémir lui tournait la tête —, ce plaisir n'était si aigu

que parce qu'il lui rendait constamment
présent et certain le plaisir qu'elle donnait
à son tour, lorsqu'à son tour elle se resser-
rait sur qui la tenait, et gémissait, à cette
différence qu'elle ne concevait pouvoir être
ainsi donnée à une fille, comme celle-ci lui
était donnée, mais seulement à un homme.
Il lui semblait en outre que les filles qu'elle
caressait appartenaient de droit à l'homme
à qui elle-même appartenait, et qu'elle n'était
là que par procuration. Sir Stephen fût-il
entré quand elle caressait Jacqueline, ces
jours précédents où Jacqueline venait à
l'heure de la sieste auprès d'elle, elle eût de
force, et sans le moindre remords, et bien au
contraire avec un plaisir total, maintenu
écartées pour lui, de ses deux mains, les
cuisses de Jacqueline, s'il lui avait plu de la
posséder, au lieu seulement de la regarder
à travers la cloison à claire-voie, comme il
avait fait. On pouvait la lancer à la chasse,
elle était un oiseau de proie naturellement
dressé, qui rabattrait et rapporterait sans
faute le gibier. Et justement... Ici, et comme
elle repensait, le cœur battant, aux lèvres
délicates et si roses de Jacqueline sous la
fourrure blonde de son ventre, à l'anneau

plus délicat et rose encore entre ses fesses qu'elle n'avait osé forcer que trois fois, elle entendit Sir Stephen bouger dans sa chambre. Elle savait qu'il pouvait la voir, cependant qu'elle ne le voyait pas, et une fois de plus elle sentit qu'elle était heureuse de cette exposition constante, de cette constante prison de ses regards où elle était enfermée. La petite Natalie était assise sur le tapis blanc au milieu de la chambre, comme une mouche dans le lait, mais O debout devant la commode ventrue qui lui servait de coiffeuse, et au-dessus de laquelle elle se voyait jusqu'à mi-corps, dans un miroir ancien, un peu verdie et tremblée comme dans un étang, faisait songer à ces gravures de la fin de l'autre siècle, où des femmes se promenaient nues dans la pénombre des appartements, au cœur de l'été. Quand Sir Stephen poussa la porte, elle se retourna si brusquement, en s'appuyant le dos à la commode, que les fers entre ses jambes heurtèrent une des poignées de bronze, et tintèrent. « Natalie, dit Sir Stephen, va chercher le carton blanc qui est resté en bas, dans la seconde salle. » Natalie revenue posa le carton sur le lit, l'ouvrit, et sortit un à un, en les développant de leur papier de soie, les objets qu'il contenait, et les tendit au fur et à mesure à Sir Stephen. C'étaient des masques. A la fois coiffures et masques, on voyait qu'ils étaient faits pour couvrir toute la tête, en ne laissant libres, outre la fente des yeux, que la bouche et le menton. Epervier, faucon, chouette, renard, lion, taureau, ce n'étaient que masques de bêtes, à mesure humaine, mais faits de la fourrure ou des plumes de la bête véritable, l'orbite de l'œil ombragée de cils quand la bête avait des cils (comme le lion) et le pelage ou la plume descendant assez bas pour atteindre les épaules de qui les porterait. Il suffisait de resserrer une sangle assez large, cachée sous cette manière de chape qui retombait par-derrière, pour que le masque s'appliquât étroitement au-dessus de la lèvre supérieure (un orifice étant ménagé pour chaque narine) et le long des joues. Une armature de carton modelé et durci en maintenait la forme rigide, entre le revêtement extérieur et la doublure de peau. Devant la grande glace où elle se voyait en pied, O essaya chacun des masques. Le plus singulier, et celui qui à la fois transformait

le plus et lui semblait le plus naturel, était
un des masques de la chouette chevêche (il
y en avait deux), sans doute parce qu'il était
de plumes fauves et beiges, dont la couleur
se fondait avec la couleur de son hâle ; la
chape de plumes lui cachait presque complètement les épaules, descendant jusqu'à mi-
dos, et par-devant jusqu'à la naissance des
seins. Sir Stephen lui fit effacer le rouge de
ses lèvres, puis lorsqu'elle retira le masque,
lui dit : « Tu seras donc chevêche pour le
Commandant. Mais O, je te demande pardon,
tu seras menée en laisse. Natalie, va chercher dans le premier tiroir de mon secrétaire, tu trouveras une chaîne, et des
pinces. » Natalie apporta la chaîne et les
pinces, avec lesquelles Sir Stephen défit le
dernier maillon, qu'il passa dans le second
anneau qu'O portait au ventre, puis referma.
La chaîne, pareille à celles avec lesquelles
on attache les chiens — c'en était une —
avait un mètre et demi de long, et se ter-
minait par un mousqueton. Sir Stephen dit
à Natalie, après qu'O eut remis le masque,
d'en prendre l'extrémité, et de marcher dans
la pièce, devant O. Natalie fit trois fois le
tour de la pièce, tirant derrière elle, par le

ventre, O nue et masquée. « Eh bien, dit Sir Stephen, le Commandant avait raison, il faut aussi te faire épiler complètement. Ce sera pour demain. Pour l'instant, garde ta chaîne. »

Le même soir, et pour la première fois en compagnie de Jacqueline et de Natalie, de René, de Sir Stephen, O dîna nue, sa chaîne passée entre ses jambes, remontée sur ses reins, et entourant sa taille. Norah servait seule, et O fuyait son regard : Sir Stephen, deux heures plus tôt, l'avait fait appeler.

Ce furent les lacérations toutes fraîches, plus encore que les fers et la marque sur les reins, qui bouleversèrent la jeune fille de l'Institut de Beauté où le lendemain O alla se faire épiler. O eut beau lui dire que cette épilation à la cire, où l'on arrache d'un coup la cire durcie où sont pris les poils, n'est pas moins cuisante qu'un coup de cravache, et lui répéter, et même essayer de lui expliquer, sinon quel était son sort, du moins qu'elle en était heureuse, il n'y eut pas moyen de calmer son scandale, ni son effroi. Le seul effet des apaisements d'O fut qu'au lieu d'être regardée avec pitié, comme elle l'avait été au premier instant, elle le fut avec horreur. Si gentiment qu'elle remerciât, une fois que ce fut fini, et qu'elle fut sur le point de quitter la cabine où elle avait été écartelée comme pour l'amour, si important que fût l'argent qu'elle laissait, elle sentit qu'on la chassait, plutôt qu'elle ne partait. Que lui importait ? Il était clair à ses yeux qu'il y avait quelque chose de choquant dans le contraste entre la fourrure de son ventre et les plumes de son masque, clair aussi que cet aspect de statue d'Egypte que lui conférait le masque, et que ses épaules larges, ses hanches minces et ses longues jambes accentuaient, exigeait que sa chair fût entièrement lisse. Mais seules les effigies de déesses sauvages offraient aussi haute et visible la fente du ventre entre les lèvres de laquelle apparaissait l'arête de lèvres plus fines. En vit-on jamais percées d'anneaux ? O se souvint de la fille rousse et ronde qui était chez Anne-Marie, et qui disait que son maître ne se servait de l'anneau de son ventre que pour l'attacher au pied de son lit, et aussi qu'il la voulait épilée parce que seulement ainsi elle était tout à fait nue. O craignit de déplaire à Sir Stephen, qui aimait tant la tirer à lui par sa toison, mais elle se trompait :

Sir Stephen la trouva plus émouvante, et lorsqu'elle eut revêtu son masque, les lèvres également dépourvues de fard au visage et au ventre et si pâles, il la caressa presque timidement comme on fait d'une bête qu'on veut apprivoiser. Sur l'endroit où il voulait la conduire, il n'avait rien dit, ni sur l'heure où ils devaient partir ni qui seraient les invités du Commandant. Mais tout le reste de l'après-midi il vint dormir auprès d'elle, et le soir se fit apporter pour elle et pour lui, à dîner dans sa chambre. Ils partirent une heure avant minuit, dans la Buick, O recouverte d'une grande cape brune de montagne, et des socques de bois aux pieds ; Natalie, en pantalon et chandail noirs, la tenait par sa chaîne, dont le mousqueton était accroché au bracelet qu'elle portait au poignet droit. Sir Stephen conduisait. La lune, près d'être pleine, était haute, et éclairait par grandes plaques neigeuses la route, les arbres et les maisons dans les villages que la route traversait, laissant noir comme de l'encre de Chine tout ce qu'elle n'éclairait pas. Il y avait encore quelques groupes au seuil des portes, où l'on sentait un mouvement de curiosité au passage de cette voiture fermée (Sir Stephen n'avait pas ouvert la capote). Des chiens aboyaient. Sur le côté où frappait la lumière, les oliviers ressemblaient à des nuages d'argent flottant à deux mètres du sol, les cyprès à des plumes noires. Rien n'était vrai dans ce pays, que la nuit rendait à l'imaginaire, sinon l'odeur des sauges et des lavandes. La route montait toujours, et cependant le même souffle chaud couvrait la terre. O fit tomber sa cape de ses épaules. On ne la verrait pas, il n'y avait plus personne. Dix minutes plus tard, après avoir longé un bois de chênes verts, en haut d'une côte, Sir Stephen ralentit devant un long mur percé d'une porte cochère, qui s'ouvrit à l'approche de la voiture. Il gara dans une avant-cour, cependant qu'on refermait la porte derrière lui, puis descendit, et fit descendre Natalie et O, qui sur son ordre laissa dans la voiture sa cape et ses socques. La porte qu'il poussa ouvrait sur un cloître à arcades Renaissance, dont trois côtés seulement subsistaient, la cour dallée prolongée au quatrième côté par une terrasse également dallée. Une dizaine de couples dansaient sur la terrasse et dans la cour, quelques femmes très décolletées et des hommes en spencer blanc étaient assis à de petites tables éclairées aux bougies, le pick-up était sous la galerie de gauche, un buffet sous la galerie de droite. Mais la lune donnait autant de clarté que les bougies et lorsqu'elle tomba droit sur O, que tirait en avant Natalie petite ombre noire, ceux qui l'aperçurent s'arrêtèrent de danser, et les hommes assis se levèrent. Le garçon près du pick-up, sentant qu'il se passait quelque chose, se retourna et saisi, stoppa le disque. O n'avançait plus, Sir Stephen immobile deux pas derrière elle attendait aussi. Le Commandant écarta ceux qui s'étaient groupés autour d'O, et déjà apportaient des flambeaux pour la voir de plus près. « Qui est-ce, disaient-ils, à qui est-elle ? — A vous si vous voulez », répondit-il, et il entraîna Natalie et O vers un angle de la terrasse où un banc de pierre recouvert d'une cambodgienne était adossé à un petit mur. Lorsque O fut assise, le dos appuyé au mur, les mains reposant sur les genoux, Natalie par terre à gauche à ses pieds tenant toujours la chaîne, il s'en retourna. O chercha des yeux Sir Stephen et ne le vit d'abord pas. Puis elle le devina, allongé sur une chaise longue à l'au-

tre angle de la terrasse. Il pouvait la voir,
elle fut rassurée. La musique avait repris, les
danseurs dansaient de nouveau. Un ou deux
couples se rapprochèrent d'abord d'elle
comme par hasard, en continuant à danser,
puis l'un d'eux franchement, la femme en-
traînant l'homme. O les fixait de ses yeux
cernés de bistre sous la plume, large ouverts comme les yeux de l'oiseau nocturne
qu'elle figurait, et si forte était l'illusion que
ce qui paraissait le plus naturel, qu'on
l'interrogeât, personne n'y songeait, comme
si elle eût été une vrai chevêche, sourde au
langage humain, et muette. De minuit jusqu'à l'aube, qui commença de blanchir le
ciel à l'est vers cinq heures, à mesure que la
lune faiblissait en descendant vers l'ouest,
on s'approcha d'elle plusieurs fois, jusqu'à
la toucher, on fit cercle plusieurs fois autour
d'elle, plusieurs fois on lui ouvrit les genoux,
en soulevant sa chaîne, en apportant un
des candélabres à deux branches en faïence
provençale — et elle sentait la flamme des
bougies lui chauffer l'intérieur des cuisses —
pour voir comment sa chaîne lui était fixée ;
il y eut même un Américain ivre qui la saisit
en riant, mais lorsqu'il se rendit compte

qu'il avait pris à pleine main la chair et le
fer qui la traversait, il fut brusquement dé-
grisé, et O vit naître sur son visage l'horreur
et le mépris qu'elle avait déjà lus sur le
visage de la jeune fille qui l'avait épilée ; il
partit ; il y eut encore une fille très jeune,
les épaules nues et un tout petit collier de
perles au cou, dans une robe blanche de
premier bal pour jeune fille, deux roses-thé
à la taille, et de petites sandales dorées aux
pieds, qu'un garçon fit asseoir tout contre O,
à sa droite ; puis il lui prit la main, la força
à caresser les seins d'O, qui frémit sous la
légère main fraîche, et de toucher le ventre
d'O, et l'anneau, et le trou où passait l'anneau ; la petite obéissait en silence, et
lorsque le garçon lui dit qu'il lui en ferait
autant, elle n'eut pas un mouvement de
recul. Mais même en disposant ainsi d'O, et
même en la prenant ainsi comme modèle, ou
comme objet de démonstration, pas une
seule fois on lui adressa la parole. Etait-elle
donc de pierre ou de cire, ou bien créature
d'un autre monde et pensait-on qu'il était
inutile de lui parler, ou bien si l'on n'osait
pas ? Ce fut seulement le plein jour venu,
tous les danseurs partis, que Sir Stephen et

le Commandant réveillant Natalie qui dormait aux pieds d'O, firent lever O, l'amenèrent au milieu de la cour, lui défirent sa chaîne et son masque, et la renversant sur une table, la possédèrent tour à tour.

Dans un dernier chapitre, qui a été supprimé, O retournait à Roissy, où Sir Stephen l'abandonnait.

Il existe une seconde fin à l'histoire d'O. C'est que, se voyant sur le point d'être quittée par Sir Stephen, elle préféra mourir. Il y consentit.

TABLE

LE BONHEUR
DANS L'ESCLAVAGE

HISTOIRE D'O

Aux Éditions Jean-Jacques Pauvert :

PAULINE RÉAGE

Histoire d'O
précédée de
Le Bonheur dans l'esclavage
de Jean Paulhan

Une Fille amoureuse
suivi de
Retour a Roissy

Composition réalisée par C.M.L. - LUXAIN

IMPRIMÉ EN FRANCE PAR BRODARD ET TAUPIN
Usine de La Flèche (Sarthe).
LIBRAIRIE GÉNÉRALE FRANÇAISE - 43, quai de Grenelle - 75015 Paris.
ISBN : 2 - 253 - 00717 - X

◈ 30/4873/3